CASANOVA

D0608683

Le Duel
ou Essai sur la vie de J. C. Vénitien

Traduit de l'italien par
Joseph Pollio et Raoul Vèze

Postface de
Chantal Thomas

Couverture de
Laurence Bériot

Illustrations de
Youssouf Touré

ÉDITIONS MILLE ET UNE NUITS

CASANOVA
n° 192

Texte intégral
Titre original :
Il Duello

Cette édition, légèrement modifiée,
reprend celle publiée
par la Librairie de la Société casanovienne en 1925.

© Éditions Mille et une nuits, février 1998
pour la présente édition.
ISBN : 2-84205-302-8

Sommaire

CASANOVA

Le Duel

Le Duel

Animum rege, qui, nisi parei,
Imperat ; hune frenis, hune iu
compesce catena(t).[1]

Un homme né à Venise de parents modestes, sans
fortune, sans aucun de ces titres qui, dans le monde,
placent certaines familles au-dessus de celles du
peuple, fut élevé, grâce à Dieu, comme un enfant destiné à tout autre chose qu'à un métier exercé par le
vulgaire ; mais il eut le malheur, à l'âge de vingt-sept
ans, d'encourir les sévérités du Gouvernement ; et, à
vingt-huit ans[2], la bonne fortune de s'échapper des
mains sacro-saintes de cette Justice dont il supportait
le châtiment à contrecœur.

Heureux le coupable qui peut souffrir en paix la
peine qu'il a méritée, et de laquelle il attend la fin
avec une patiente résignation ; malheureux, au
contraire, celui qui, après des fautes commises, n'a
pas le courage de les expier et de les effacer, en subis-
sant sa condamnation jusqu'au bout.

Le Vénitien n'eut pas la patience d'attendre : il
s'évada, bien qu'il eût prévu que son évasion l'expo-
sait au risque de perdre la vie, dont il ne se souciait

guère, d'ailleurs, privé de sa liberté. Peut-être ne se fit-il pas tous ces raisonnements, et, en fuyant, écouta-t-il simplement la voix de la nature comme font les plus vils animaux.

Si ce gouvernement dont il évitait les rigueurs l'avait voulu, il l'aurait certainement fait arrêter en route ; mais il n'en eut cure, et toléra de la sorte que le malavisé jeune homme se rendît compte par lui-même combien, par amour de la liberté, on devient la proie souvent de vicissitudes plus cruelles qu'une captivité passagère.

Un prisonnier qui s'évade n'éveille jamais, dans l'esprit de ceux qui l'ont condamné, des sentiments de colère ; il leur inspire plutôt de la pitié, car en fuyant il accroît aveuglément ses propres malheurs, s'interdit tout espoir de retour dans sa patrie, et il reste le coupable qu'il était avant de commencer à expier son délit.

Donc ce Vénitien, dominé par toute la fougue de son âge, gagna la frontière par le chemin le plus long, car il savait que le plus court est souvent fatal au fugitif. C'est ainsi qu'il parvint à Munich, en Bavière, où il resta un mois pour rétablir sa santé, se procurer quelque argent et un équipage convenable ; puis traversant la Souabe, l'Alsace, la Lorraine et la Champagne, il arriva à Versailles le 5 janvier 1757, juste une demi-heure avant que le fanatique Damiens donnât un coup de couteau au roi Louis XV, d'heureuse mémoire.

Devenu aventurier par la force des choses, car tel est le sort de quiconque, exilé de sa patrie, parcourt le monde sans être riche, cet homme eut à Paris les faveurs extraordinaires de la fortune, et il en abusa. Il passa ensuite en Hollande, où il mena à bonne fin certaines affaires qui lui rapportèrent d'importantes sommes d'argent. Il les gaspilla et alla en Angleterre, où une passion insensée faillit lui faire perdre la raison et la vie. Il quitta l'Angleterre en 1764, et, par la Flandre française, entra dans les Pays-Bas autrichiens, franchit le Rhin et, par Wesel, pénétra en Westphalie, parcourut les pays de Hanovre et de Brunswick et, par Magdebourg, débarqua à Berlin, capitale du Brandebourg. Pendant les deux mois qu'il y séjourna, il eut deux audiences du roi Frédéric, faveur que Sa Majesté accorde facilement à tous les étrangers qui la lui demandent par écrit. Mais il s'aperçut qu'au service de ce Roi il n'avait pas grand espoir de faire carrière, de sorte qu'il repartit, avec un domestique et avec un Lorrain, très instruit en mathématiques, en qualité de secrétaire : ayant l'intention d'aller chercher fortune en Russie, un homme de ce genre lui était nécessaire.

Il s'arrêta peu de jours à Dantzig, très peu à Königsberg, capitale de la Russie ducale, et, côtoyant la mer Baltique, il parvint à Mitau, capitale de la Courlande, où il séjourna un mois, honorablement accueilli par l'illustre duc Jean-Ernest de Birken, aux frais de qui il parcourut toutes les mines de fer du duché ; il en partit généreusement récompensé pour avoir suggéré et démontré à ce souverain la manière d'introduire dans ses mines des améliorations très utiles. Ayant quitté la Courlande, il s'arrêta peu de temps en Livonie, et après avoir parcouru la Carélie, l'Esthonie, et toutes leurs provinces, il arriva en Ingrie, à Pétersbourg. Là, il aurait trouvé la fortune qu'il convoitait s'il y avait été appelé.

Qu'il n'espère pas faire fortune en Russie celui qui s'y rend par simple curiosité ; « Qu'est-ce qu'il est venu faire ici ? » est la phrase que chacun se dit et que tout le monde répète ; tandis que celui qui arrive à la Cour de Pétersbourg, après avoir eu l'habileté de se présenter d'abord au ministre de Russie, dans quelque Cour d'Europe, est sûr au contraire d'être employé et pourvu de gros appointements.

Si l'ambassadeur russe est persuadé du mérite de la personne qu'il recommande, il en fait part à l'Impératrice, qui lui envoie l'ordre d'expédier l'aventurier en payant les frais du voyage ; la fortune ne peut faire défaut à ce dernier, car on ne doit pas pouvoir dire que cela ne valait pas la peine de gaspiller l'argent du déplacement pour un individu sans capacités. Autant déclarer que l'ambassadeur qui le proposa se serait trompé, et cela ne peut être, car les ministres doivent se connaître en hommes de valeur. Le seul être, enfin, qui n'a et ne peut avoir aucun mérite reconnu, est le pauvre diable qui s'en va là-bas à ses frais. Que cet avis profite à ceux de mes lecteurs qui caresseraient le projet d'aller en Russie sans y être appelés, avec l'espoir de s'enrichir au service impérial. – Notre Vénitien, cependant, ne perdit pas son temps, ayant l'habitude de l'employer toujours à tenter quelque chose, mais il ne fit pas fortune, si bien qu'au bout d'un an, pourvu, comme à son ordinaire, sinon de lettres de change du moins de bonnes recommandations, il alla à Varsovie.

Il partit de Pétersbourg dans sa voiture traînée par six chevaux de poste, et avec deux serviteurs mais avec peu d'argent, de sorte que, quand il rencontra dans une forêt de l'Ingrie le maestro Galuppi, surnommé Buranello, qui faisait le voyage, appelé par la Tzarine, sa bourse était déjà vide ; malgré cela il parcourut heureusement les neuf cents milles qu'il devait faire pour atteindre la capitale de la Pologne. – Dans ces pays, tout individu qui a l'air de ne pas avoir besoin d'argent en trouve aisément, et là il n'est pas difficile d'avoir cet air. Il est bien autrement malaisé de l'avoir en Italie où personne ne vous suppose une bourse remplie d'or, avant de l'avoir ouverte.

Italiam ! Italiam !

Notre Vénitien fut fort bien accueilli à Varsovie [3]. Le prince Adam Czartoryski auquel il fit visite, porteur d'une chaleureuse lettre de recommandation, le présenta au Prince Palatin de Russie, son père, au prince Grand-Chancelier de Lituanie, son oncle, savant jurisconsulte, et à tous les Grands du royaume qui se trouvaient alors à la Cour.

Il leur fut présenté sous le nom qu'il tenait de son humble naissance, et pas du tout sous un autre nom.

D'ailleurs, sa condition sociale ne pouvait être ignorée des seigneurs polonais, car il avait été vu à Dresde par un grand nombre d'entre eux, quatorze ans auparavant, alors qu'il avait servi de sa plume le roi Auguste III, et qu'il y habitait avec sa mère, ses frères, ses beaux-frères et ses neveux [4].

Que Messieurs les gazetiers ultramenteurs prennent patience ! Les pauvres diables ne sont d'ailleurs pas bien à plaindre, car leurs articles, quelque mensongers qu'ils soient, surtout s'ils sont calomnieux, donnent de la vogue à leurs méchantes gazettes, beaucoup plus que s'ils étaient vrais.

Le seul insigne étranger qui ornait l'intérieur de la personne, assez avenante, du Vénitien, était un ordre, aujourd'hui bien discrédité, de la chevalerie romaine, attaché par un beau ruban vermeil, qu'il portait au cou, « en sautoir », c'est-à-dire comme les *Monsignori* portent leur croix épiscopale. Il avait reçu cette décoration du pape Rezzonico Clément XIII, d'heureuse mémoire, quand il eut le bonheur de baiser son pied sacré, à Rome, en l'an 1760 [5]. Un ordre de chevalerie, quel qu'il soit, mais surtout s'il est éclatant, est toujours très avantageux pour ceux qui voyagent beaucoup et doivent, presque tous les mois, se présenter, pour la première fois, dans des villes différentes : c'est un ornement, une marque de distinction respectable qui en impose aux sots, d'où sa nécessité, puisque le monde est peuplé d'imbéciles toujours prêts à s'incliner devant une décoration. Il n'est donc pas mauvais d'en faire étalage, du moment que cela suffit pour les amadouer, les ravir en extase, les séduire et leur inspirer le respect. Le Vénitien cessa de porter cette décoration en 1770 à Pise. S'y trouvant à court d'argent, et comme elle était entourée de brillants et de rubis, il la vendit à un bon prix ; il en était, d'ailleurs, depuis longtemps dégoûté, pour l'avoir vue portée par nombre de charlatans.

Huit jours après son arrivée à Varsovie, il eut l'honneur de souper chez le prince Adam Czartoryski, avec le glorieux monarque dont toute l'Europe s'entretenait et qu'il désirait ardemment connaître. Autour d'une table ronde huit convives étaient assis [6], qui tous mangèrent plus ou moins copieusement, hormis le Roi et le Vénitien, qui causèrent tout le temps de la Russie très connue du monarque, et de l'Italie qu'il ne visita jamais bien qu'il en fût très curieux. Malgré cela bien des gens, à Rome, à Naples, à Florence et à Milan, m'affirmèrent qu'ils l'avaient reçu chez eux : je les laissai dire, et ne m'opposai pas à ce qu'on les crût, sans jamais les démentir, car il y a grand risque à essayer le difficile métier de détromper les dupes.

À dater de ce souper, le Vénitien passa tout le reste de cette année, et une partie de la suivante, à rendre hommage à Sa Majesté, aux princes et aux riches prélats du Royaume, étant toujours invité à toutes les brillantes fêtes qu'on donnait à la Cour et dans les splendides demeures des magnats, et plus particulièrement dans celles de la « famille » (ainsi appelait-on l'illustre maison des Czartoryski) où régnait, bien mieux qu'à la Cour, la vraie magnificence [7].

Vers ce temps-là, arriva à Varsovie une danseuse vénitienne [8] qui, par ses grâces et ses charmes, captiva presque tous les cœurs et, entre autres, celui du Grand-Panetier de la Couronne, Xavier Branicki [9]. Ce seigneur, qui est aujourd'hui Grand-Général, était dans la fleur de l'âge ; bel homme, destiné depuis l'adolescence à la carrière des armes, il avait servi six ans en France. Là, il avait appris à répandre le sang des ennemis sans les haïr, à se venger sans colère, à tuer sans discourtoisie, à préférer l'honneur, qui est un bien imaginaire, à la vie qui est en réalité le seul bien de l'homme ici-bas.

Cette charge de l'ordre équestre de *gran Postoli* (mot polonais qui veut dire Panetier) lui avait été octroyée par le roi Auguste III : il était décoré aussi de l'ordre insigne de l'Aigle blanc qu'il venait de rapporter de la Cour de Berlin, près de laquelle il avait été accrédité par le nouveau roi son ami, pour une certaine mission soi-disant *secrète* mais connue de tout le monde. Il était donc le favori de ce Roi, auquel il dut plus tard sa fortune et qui le combla de bienfaits. Il est vrai de dire aussi qu'il avait mérité cette extrême faveur par sa valeur militaire et par la fidélité qu'il garda au souverain quand, quelques années avant qu'il fût élu roi, il l'accompagna à la Cour de Péters-bourg. Là le futur Roi devint un fervent admirateur des éminentes qualités, de l'esprit et des charmes de la Grande-Duchesse de Moscovie, maintenant la très glo-rieuse Impératrice de Russie.

Ce noble chevalier méritait réellement la prédilec-tion du monarque, car de même qu'il avait été son ami quand il avait été son égal, de même quand Stanislas II ceignit la Couronne royale, il fut toujours, en toute occasion, un prompt et presque aveugle exécuteur de ses ordres, et avec non moins de ferveur, lorsqu'il s'agissait pour son service, d'exposer sa vie à des risques certains. Il combattit avec intrépidité et s'aliéna toute la nation polonaise, mais surtout cette partie importante de la nation qui, mécontente, prit les armes, lorsque la Diète plaça la Couronne royale sur la tête de Stanislas Poniatowski, aujourd'hui sur le trône et que Branicki adorait.

Vers la moitié de l'année 1766, le Roi lui conféra la très avantageuse charge de « Lofcig », ou Grand-Veneur de la Couronne, au moment où il était alité des suites de la blessure que le Vénitien lui avait faite, d'un coup de pistolet dans le duel dont nous allons parler.

Pour occuper cette charge, il abandonna celle de Grand-Panetier, bien que celle-ci fût supérieure de deux degrés à la nouvelle ; mais elle était moins lucrative. Le lucre, c'est une réalité substantielle que nombre de gens préfèrent à toute autre supériorité.

La danseuse vénitienne n'avait pas besoin, pour se faire valoir, de la protection du Postoli de la Couronne Branicki, car tout le monde l'aimait ; elle jouissait, en outre, d'autres et de plus hautes protections ; cependant la faveur de l'intrépide et brave Postoli, chevalier résolu et d'un abord difficile, augmentait son crédit et tenait peut-être à distance ceux qui, dans ces milieux de coulisses traversés d'intrigues, sont quelquefois la cause, pour les virtuoses, de gros déboires.

Le Vénitien était, par goût et par devoir, ami de la danseuse vénitienne, mais pas au point, pour applaudir celle-ci, de devenir hostile à une autre première danseuse [10], parmi les amis de laquelle il s'était habitué à compter avant l'arrivée de la Vénitienne à la Cour de Varsovie. Cette double attitude était vue d'un mauvais œil par la nouvelle venue. Elle s'imaginait qu'il n'était pas de sa dignité de souffrir que l'un de ses compatriotes, l'unique se trouvant à Varsovie, fût dans le camp de ceux qui applaudissaient sa rivale, plutôt que dans le sien.

Une femme de théâtre qui, sur la même scène, a une rivale, aspire à accaparer tout le succès ; elle devient, par conséquent, l'ennemie déclarée de tous ceux qui ne l'aident pas à triompher exclusivement.

C'est la façon de penser de toutes les étoiles de théâtre ; dominées par l'ambition et par l'envie, elles ne savent pas pardonner à ceux qui soutiennent une rivale. Au contraire, une femme de théâtre n'hésitera pas à accorder toutes ses faveurs à tout homme qu'elle réussira à détacher de l'autre, surtout si elle croit que cette défection peut contribuer à assurer son succès et à maintenir en sa faveur le plateau de la balance.

La danseuse vénitienne s'était souvent plainte à son Postoli, qui était alors à la tête de son parti, de l'ingratitude du Vénitien, mais le Postoli lui répondait qu'il n'y pouvait rien ; il lui promettait seulement que, si l'occasion s'en présentait, il saurait le mortifier de la même manière qu'il avait mortifié quelques jours auparavant un autre personnage dont elle se plaignait aussi parce qu'il ne comptait pas au nombre de ses partisans [11]. L'occasion, bien que tirée par les cheveux, ne tarda pas à se présenter.

Le 4 mars il y eut un gala de Cour pour célébrer la fête de Saint-Casimir, nom de baptême du Prince Grand-Chambellan, frère du Roi. Après le dîner, Sa Majesté dit au Vénitien qu'Elle aurait grand plaisir à connaître son opinion sur la comédie polonaise représentée ce jour-là, pour la première fois, sur son théâtre de Varsovie par des acteurs polonais. Le Vénitien promit au Roi d'assister à la représentation en le suppliant, toutefois, de ne pas lui demander son avis, car il ignorait complètement la langue polonaise. Le monarque sourit, et cela suffit pour que le Vénitien eût reçu dans cette auguste assemblée un grand honneur.

Quand les monarques se trouvent courtisés en public par une nombreuse assemblée de ministres, d'ambassadeurs et d'étrangers, ils ont soin d'adresser une interrogation quelconque à tous ceux auxquels ils veulent montrer qu'ils se sont aperçus de leur présence. Ils se demandent donc quelle sorte de question ils pourraient poser à ceux qu'ils veulent honorer d'un entretien. Cette question ne doit pas exiger de longues réflexions chez celui qui est appelé à y répondre ; elle ne doit pas être équivoque, elle ne doit pas, non plus, être de nature telle que celui qui a l'honneur d'être interrogé puisse répondre qu'il ne sait pas. Cette question doit être nette et précise, car il ne faut jamais que la personne interrogée puisse répondre : « Sire, je n'ai pas compris ce que votre Majesté m'a dit. » Une telle réponse ferait rire l'assemblée, car elle trouverait absurde l'idée d'un roi qui n'a pas su s'expliquer, ou d'un courtisan qui n'a pas compris les paroles d'un roi. Le courtisan, dans le cas où il n'aurait pas compris, s'incline avec un geste de reconnaissance ; ou répond ce qui lui passe par la tête, et, que ce soit à propos ou non, c'est toujours très bien.

Les paroles que le souverain dit en public à quelqu'un sont généralement des banalités, mais il doit dire quelque chose, sinon son silence serait remarqué, et toute la ville saurait le lendemain matin qu'un tel est mal vu à la Cour parce que, pendant le souper, le Roi ne lui a pas adressé la parole. Ces bagatelles sont très connues de tous les souverains ; elles constituent même un des plus importants articles de leur catéchisme, car ils savent que leur moindre geste est attentivement épié, avec des yeux d'argus, par les assistants, et que leurs mots sont, ensuite, pour peu qu'ils s'y prêtent, l'objet de toute sorte d'interprétations.

Je me trouvais, en l'année 1750, au château de Fontainebleau, parmi les personnages qui assistaient au dîner de la Reine de France ou plutôt, pour être plus exact, qui la regardaient dîner. Le silence était profond. La Reine, seule à sa table, ne regardait que les mets qui lui étaient servis par ses dames d'honneur, quand, ayant trouvé un plat à son goût au point de vouloir en reprendre, elle leva majestueusement les yeux et, tournant lentement la tête (contrairement à ce que font certaines dames malavisées de notre pays qui, ne roulant que les yeux sans bouger la tête, ont l'air égaré), elle fit en un instant tout le tour du cercle, puis, s'arrêtant sur un seigneur, le plus grand de tous, et le seul à qui il lui paraissait convenable de faire tant d'honneur, elle lui dit d'une voix claire :

Je crois, Monsieur de Lowendal, que rien n'est meilleur d'une fricassée de poulet*.

Et lui, qui s'était déjà avancé de trois pas dès qu'il avait entendu prononcer son nom, répondit d'une voix émue, sérieux, et le regard fixe, mais la tête baissée :

Je suis de cet avis-là, Madame*.

Cela dit, toujours courbé, marchant sur la pointe des pieds et à reculons, il revint à la place qu'il occupait, et le dîner s'acheva, comme il avait commencé, dans le plus profond silence.

J'étais hors de moi. J'avais les yeux fixés sur cet homme que je ne connaissais que de nom et de réputation comme étant le fameux vainqueur de Berg-op-Zoom, et je ne pouvais concevoir comment il avait pu s'empêcher de rire, lui maréchal de France, à cette phrase de cuisinière que la Reine avait daigné lui adresser, et à laquelle il avait répondu sur le même ton et avec la même gravité qu'il aurait eues pour prononcer, dans un conseil de guerre, la condamnation à mort d'un officier coupable. Plus j'y pensais, et plus je

---

* En français dans le texte italien.

sentais que je n'aurais plus la force de retenir l'éclat de rire qui m'étranglait. Malheur à moi si je n'avais pas eu la volonté nécessaire pour l'étouffer. On m'aurait pris pour un fameux fou, et Dieu sait ce qui aurait pu m'arriver !

Depuis ce jour-là, jusqu'à mon départ de Fontainebleau, c'est-à-dire pendant un mois entier, je trouvai, chaque jour dans toutes les maisons où j'étais invité à dîner, la même fricassée de poulet, que maîtres-queux et cordons-bleus confectionnaient à l'envi, affirmant que la Reine avait dit vrai, mais qu'il était également vrai qu'il n'y avait pas dans la cuisine française un plat plus difficile à réussir que celui-là. Je n'ai jamais pu comprendre comment ce plat pouvait être si difficile, alors que je le trouvais partout et, partout, également parfait, mais je me gardais bien de discuter, car, après l'éloge qui en avait été fait par la Reine, on m'aurait conspué. Il fut donc décidé que seul le cuisinier de la Reine pouvait se vanter de confectionner ce plat à la perfection.

Mais revenons à l'histoire du duel. Le mot que, ce jour-là, le Roi de Pologne adressa au Vénitien, parce qu'il ne savait que lui dire, fut la cause initiale du duel, car si le roi ne le lui avait pas commandé, il est certain qu'il ne serait jamais allé s'ennuyer à la représentation de la comédie polonaise. Il y alla et, après le premier ballet, qu'il vit en se tenant derrière le siège du Roi, dans la loge d'avant-scène, ayant remarqué que Sa Majesté avait applaudi la danseuse Casassi [12], il eut envie d'aller sur la scène la complimenter d'avoir été la

seule, ce jour-là, à être applaudie par le Roi. Il alla,
d'abord, en passant devant sa loge, faire une visite à
la danseuse vénitienne qui se préparait pour le second
ballet. Il était à peine entré qu'il vit, tout d'un coup,
surgir le Postoli la figure toute décomposée. Le Vénitien, en le voyant paraître accompagné de Bissinski [13],
en costume polonais, lieutenant-colonel dans son régi-
ment, se retira en lui faisant une humble révérence.

Les courtisans galants qui, par-delà les monts, font
des visites de courtoisie, dans leurs loges, aux soi-
disant virtuoses, ont la discrétion de se retirer lorsque
survient un nouveau visiteur : c'est un geste d'urba-
nité et de civilité, qui fait plaisir à deux personnes à la
fois, et le pacte tacite est réciproque. Il n'en va pas de
même en Italie. Celui qui arrive le premier ne s'en va
plus ; il sait qu'il fait enrager les autres, mais il y
trouve son plaisir, et il reste.

En sortant de la loge le Vénitien rencontra
Mme Casassi derrière une coulisse, il s'arrêta, causa
avec elle en la complimentant de l'applaudissement
qu'elle avait obtenu du monarque et en plaisantant
sur différents sujets. Mais voilà qu'à l'improviste
survient le Postoli qui n'avait dû quitter la loge de
la Vénitienne où il l'avait laissé, que pour le pour-
suivre et l'attaquer ; il se planta devant lui et, grossièrement, le toisant des pieds à la tête, comme font
les tailleurs, lui demanda ce qu'il faisait là avec cette
femme. Le Vénitien, qui n'avait jamais parlé à ce
monsieur, lui répondit, tout surpris, qu'il causait
avec cette dame pour la complimenter. Le Postoli lui

demanda alors s'il était amoureux d'elle, à quoi il répondit affirmativement.

« Je l'aime aussi, répliqua le Postoli, et je n'ai pas l'habitude de souffrir de rivaux. »

Le Vénitien se borna à lui dire qu'il n'était pas au courant de sa passion.

« Vous devez donc me la céder », dit le Postoli.

Le Vénitien répondit d'un ton quelque peu ironique : « Parfaitement, Monsieur, à un beau cavalier tel que vous, il n'est personne qui puisse résister ; je vous cède donc en toute propriété cette aimable dame, avec tous les droits que je peux avoir sur elle.

– Cela me plaît ainsi, ajouta le Postoli, d'un ton brusque, mais quand un poltron a cédé, il *f...t le camp*. »

Ces trois mots, que j'ai écrits en français parce que les deux interlocuteurs parlaient en cette langue et parce qu'aussi on ne saurait les traduire en italien, sont ceux que pour dire : « Va-t-en », un homme hautain mais grossier emploie envers un inférieur à qui il veut, par là, non seulement marquer son mépris, mais qu'il menace, en outre, de voies de fait s'il n'obtempère pas immédiatement à l'ordre reçu.

Le Vénitien qui, pour sa bonne ou mauvaise fortune, comprenait le français, s'était accoutumé depuis sa plus tendre enfance à se méfier du premier mouvement, lequel, vraiment indigne d'un homme raisonnable, le transforme en être bestial, et pour lequel, chose ridicule, les lois ont décidé de montrer de la pitié.

Il sut se contenir et maîtriser l'envie folle qu'il éprouvait de tuer ce brutal sur place. Au lieu de cela, il se dirigea tout de suite vers le petit escalier qui conduisait hors de la scène, et regardant bien en face son superbe insulteur en posant la main gauche sur la garde de son épée, il se borna à lui dire : « *C'en est trop !* » Le défi n'était pas douteux ; il pouvait même être plus laconique : un mouvement, un geste, un clignement des yeux, la main sur la garde de l'épée auraient dû, semble-t-il, suffire. Mais non, pendant que le Vénitien s'éloignait à pas lents, le Postoli dit à haute voix, de manière à être entendu de deux officiers qui se trouvaient là : « Ce poltron de Vénitien prend, en s'en allant, le bon parti, *j'allais l'envoyer se faire f....e.* » À quoi, l'autre, sans se retourner, répondit : « *Un poltron vénitien enverra dans un moment, à l'autre monde, un brave Polonais.** »

Si au terme, bien que grossier, de poltron, il n'avait pas ajouté l'épithète de Vénitien, peut-être celui-ci aurait-il supporté l'affront, mais il n'est pas, je crois, un homme au monde qui puisse souffrir un mot outrageant une nation tout entière.

Ayant ainsi parlé, il alla attendre le Polonais à la porte du théâtre avec l'intention de se rendre immédiatement, bien que la nuit fût très obscure, en quelque endroit retiré pour donner ou recevoir un bon coup d'épée, et terminer ainsi l'affaire ; mais il attendit vainement, pendant une demi-heure, sans voir venir personne. Et comme il tombait une pluie glaciale sur la neige, et qu'il était à moitié transi de froid, il se décida à faire avancer sa voiture et se rendit au palais du Prince Palatin de Russie où il savait que le Roi devait venir souper.

Le Vénitien avait raison d'être prudent en supportant, à l'endroit où il était, l'insolente injure du Postoli, car le Roi se trouvait près de là avec ses gardes, et tout mouvement, même un peu violent, de sa part, aurait eu des conséquences graves ; mais il ne pouvait dissimuler l'affaire. Deux officiers, sans parler de Bissinski, l'ami fidèle du Postoli, avaient assisté à la scène, en sorte qu'il était dans la plus sérieuse perplexité.

Sans prendre aucune détermination, il arriva, au grand trot de ses chevaux, au palais du Prince Palatin où se trouvait déjà réunie la fine fleur de la noblesse polonaise.

Dès qu'il l'aperçut, le Prince commença la partie de *trésette*, et, comme d'habitude, le prit comme partenaire. En jouant, le Vénitien ne faisait que des bévues, ce dont le Prince lui fit quelque reproche ; il s'en excusa en lui disant qu'il avait la tête à cent lieues de l'endroit où l'on jouait. Alors le Prince, très calme, lui faisant remarquer qu'il fallait toujours avoir la tête à soi, jeta les cartes sur la table, et la partie prit fin.

Sur ces entrefaites, un officier de la Cour [14] vint annoncer que le roi n'assisterait pas au souper ; le Palatin donna l'ordre alors de dresser la table immédiatement.

Le malheureux étranger injurié fut vivement contrarié de ne pas voir le Roi ce soir-là, car il comptait faire part à Sa Majesté de l'insulte qu'il avait reçue du Postoli, et il espérait que le souverain aurait arrangé l'affaire en obligeant l'injuste insulteur à donner une réparation suffisante à l'insulté, mais l'affaire devait prendre une tout autre tournure.

Tout le monde se mit à table, et à l'un des bouts de cette table, de forme ovale, le Vénitien était assis à la gauche du Prince Palatin. La conversation générale était gaie, et il pensait à tout autre chose qu'à son aventure qu'il aurait voulu tenir cachée au monde entier, quand vers le milieu du souper, on vit arriver le prince Gaspard Lubomirski[15], lieutenant général au service de la Russie, qui alla s'asseoir à l'autre bout de la table où une trentaine de convives étaient en train de manger.

Quand ce prince vit en face de lui, à l'autre bout de la table, le Vénitien, il lui dit à haute voix qu'il était vraiment peiné de la triste aventure qui lui était arrivée au théâtre. Le Vénitien n'eut pas la force de répondre à ce compliment qui alla le blesser droit au cœur et qu'il espérait bien qu'on ne lui aurait pas adressé, l'affaire n'ayant pas encore été divulguée. Néanmoins, le prince Gaspard continua, peut-être malicieusement, à le consoler en disant que l'insulteur était ivre, qu'il fallait mépriser l'injure, que l'estime que tout le monde avait de sa personne n'en serait pas diminuée pour cela, et cent autres consolations semblables et très cruelles, qui, au lieu de le calmer, l'exaspéraient davantage, à tel point que le Palatin s'en étant aperçu lui demanda avec bonté et à voix basse de quelle affaire il s'agissait. Il pria Son Altesse d'attendre la fin du souper : alors, en tête à tête, il le mettrait au courant.

En attendant tout le monde, à l'autre bout de la table, parlait ou écoutait le prince Gaspard, en regardant le Vénitien, qui rougissait de honte et ne pouvait rien dire.

Le souper terminé, le Prince Palatin le prit à part et apprit du Vénitien, en tous les plus fidèles détails, cette malheureuse histoire. En l'écoutant, ce bon Prince avait la douleur peinte sur son noble visage, et il s'indignait de ce qu'à Varsovie un honnête homme pût être exposé à subir de pareilles avanies.

Ayant achevé son récit, le Vénitien demanda au prince ce qu'il lui conseillait de faire en cette occurrence. À quoi il lui répondit qu'il n'avait pas l'habitude de donner des conseils dans des cas pareils. « Il convient à l'honnête homme qui se trouve en de semblables circonstances, dit-il en soupirant, de *faire beaucoup ou rien.* »

Cela dit, le Prince se retira, et l'autre, s'étant fait donner sa fourrure, sortit du palais, entra dans sa voiture et se rendit chez lui où il se coucha immédiatement et dormit délicieusement pendant six heures.

À son réveil, il prit un médicament, qu'il prenait déjà depuis deux semaines pour se guérir d'une certaine maladie. L'absorption de ce médicament l'obligeait à garder le lit pendant six heures au moins. Cela fait, il se mit en mesure d'expédier son courrier, et particulièrement les lettres qu'indispensablement il devait envoyer à la Cour pour profiter du Courrier royal qui partait le mercredi pour l'Italie.

Tout en procédant à ce travail, il récapitula ce qui lui était arrivé, la veille, avec le Postoli, il se remémora son attitude et pesa les mots que le Prince Palatin de Russie lui avait dits en réponse aux conseils qu'il lui demandait et, dans ses sages paroles, il trouva le conseil qu'il cherchait : *Beaucoup, ou rien.*

Il pensa d'abord au *rien* et se rappela que Platon, dans le *Gorgias*, disait que l'héroïsme consiste à n'injurier personne, d'où il conclut qu'on devait apprécier beaucoup plus celui qui était capable de supporter l'injure que celui qui avait impunément pu la proférer.

Il pensa aussi que, n'étant pas homme de guerre, (profession obligeant celui qui l'exerce à convaincre le monde qu'il ne fait aucun cas de la vie, et à éviter, comme une infamie, d'être traité de peureux), il était dispensé de l'obligation de tuer celui qui l'avait insulté ou de se faire tuer par lui. Il pouvait donc, la tête haute, se déclarer partisan du Grand Philosophe qui a dit clairement dans son épître VII, *« qu'il y a moins de déshonneur à supporter des injures qu'à en dire ».*

Il pensa ensuite aussi que c'était là une maxime du christianisme, et il se reprocha d'avoir pensé à Platon avant d'avoir pensé à l'Évangile. Mais, en réfléchissant, avec ce maudit orgueil inhérent à la nature humaine, il examina la façon de penser des philosophes de Cour qui, expressément ou tacitement, exigent que l'honneur soit fondé sur le code militaire, pour assurer le triomphe de celui dont les monarques eux-mêmes portent l'uniforme.

Il s'aperçut que, s'il avait suivi le conseil de Platon, il aurait été peut-être un bon chrétien ou un parfait philosophe, mais qu'il n'en aurait pas moins été déshonoré et vilipendé, peut-être même chassé de la Cour ou exclu, avec opprobre, des réunions de la noblesse. Tel est notre siècle. Il appartient à la philosophie de s'en plaindre, et ceux qui veulent en suivre les maximes doivent habiter partout ailleurs qu'à la Cour des rois.

Si le malheureux outragé avait pris le parti d'avaler bénévolement la pilule amère, en taisant ou en révélant l'affaire à cette masse indifférente d'oisifs qui étalent le froid et vain titre d'amis communs, il aurait trouvé une foule d'intermédiaires qui, sous l'apparence du plus grand zèle, se seraient engagés à réconcilier les deux adversaires. Mais il connaissait les habitudes de ces médiateurs, tous plus favorables par principe à l'offenseur qu'à l'offensé. Telle est la malignité de la nature humaine, qui se réjouit du mal que l'on vous fait, et est portée à favoriser celui qui vous a injurié, en se moquant de celui qui a reçu l'outrage et en cherchant à diminuer ce dernier avec des raisons sophistiques, sous le fallacieux prétexte d'arriver à une conciliation.

Le véritable ami d'un homme outragé est celui qui l'aide à se venger ou qui, comme le Prince Palatin de Russie, le plaint et le laisse libre de suivre les suggestions de son point d'honneur, car il ignore quel en est le degré. Le médiateur, en général, fait toujours plus ou moins ce que désire l'offensé.

« Un homme qui agit ainsi n'a de l'ami que le nom, et il ne mérite pas ce nom, quand il prétend que l'ami veuille, non pas ce qu'il veut, mais ce qu'à son idée il doit vouloir, et qui, ne se contentant pas de conseiller, s'érige en maître en affectant une supériorité de vues et de prudence. »

Ce sont les paroles de Cicéron, c'est pour cela que je les ai citées. L'outragé, ayant fait ces réflexions en moins de temps qu'il n'en faut pour les écrire, se décida à faire *beaucoup*.

Il résolut donc de provoquer en duel le Chevalier **
qui l'avait malmené, unique moyen, dans ces pays, et dans d'autres encore, pour un honnête homme, offensé par un être qui n'a sur lui aucun droit, de laver la tache de l'insulte.

Si les offensés pouvaient espérer, en appelant les offenseurs en justice, obtenir un jugement de réparation, les duels seraient, peut-être, moins fréquents, malgré les malheureuses maximes du point d'honneur ; mais l'expérience nous démontre qu'ils ne peuvent espérer que de froides excuses ou une ridicule rétractation qui, d'après certains penseurs, seraient de nature à accroître la tache plutôt qu'à l'effacer. En Angleterre cependant, un homme qui en offense un

---

** Le mot chevalier, en français, a un autre sens que cavalier en italien. Je fais cette remarque pour ceux qui l'ignorent (*Note de Casanova*).

autre, s'il est traduit en justice et ne peut prouver qu'il a dit la vérité, est à moitié ruiné. Voilà pourquoi beaucoup de personnes préfèrent se battre en duel et s'exposer ainsi à être tuées par l'insulteur.

Jean-Jacques Rousseau, à ce propos, a une singulière idée : il prétend que les hommes vraiment vengés ne sont pas ceux qui tuent, mais bien ceux qui obligent leurs offenseurs à les tuer. J'avoue que je n'ai pas l'esprit suffisamment élevé pour être de l'avis du grand Genevois, bien que cette pensée soit neuve et susceptible, pour ceux qui voudraient la justifier, de subtils et héroïques raisonnements, de ces raisonnements que certains penseurs modernes recherchent, car ils sont heureux quand ils peuvent, par des sophismes, donner à des paradoxes des apparences de vérités.

Ou le Postoli, pensait le Vénitien, *accepte ma provocation, ou il la refuse ; s'il l'accepte, me voilà réhabilité quelle que puisse être l'issue du duel ; s'il la refuse, je suis vengé, car en le provoquant, je lui ai prouvé que je ne le crains pas et que j'ai un cœur intrépide qui me pousse à faire fi de la vie, du moment qu'elle est souillée par une insulte. Par cette démarche, je l'oblige à m'estimer et à se repentir d'avoir outragé un homme qu'il ne peut plus traiter de lâche, du moment qu'il le voit prêt à exposer sa vie pour sauver son honneur.*

Ajoutez à cela que si le Postoli refusait de se battre, le Vénitien avait le droit de l'accuser à son tour de lâcheté et de dire ouvertement qu'il ne se croyait plus déshonoré par cette injure, puisqu'il avait découvert que l'insulteur était un vil poltron. Un homme d'honneur ne peut jamais être offensé par celui qui, refusant de se battre, est flétri par le mépris public.

Provoquer en duel celui qui vous offense est un besoin naturel de l'âme que l'éducation sut rendre modérée en lui apprenant à maîtriser la brutalité du premier mouvement. Un homme barbare, qu'une noble éducation n'habitua pas à réprimer les premières impulsions, repousse l'offense par l'offense et, n'écoutant que sa passion brutale, jointe au désir naturel de se venger, n'hésite pas à tuer celui qui l'offensa pour ne pas s'exposer lui-même au même danger.

En conséquence de ce raisonnement fondé sur la connaissance du cœur humain et sur la force des préjugés dominants, il se disposa, sans plus de retard, à écrire au chevalier un billet qui, tout en le provoquant en duel, ne pût pas, quoi qu'il arrivât, être jugé comme une provocation dans un pays où les duels étaient interdits sous peine de mort.

Voici le contenu de ce billet, dont l'original est entre les mains de l'auteur de ce récit :

« Monseigneur,

« Hier au soir, sur le théâtre, Votre Excellence m'a insulté de gaieté de cœur, et elle n'avait ni raison ni droit d'en agir ainsi vis-à-vis de moi. Cela étant, je juge, Monseigneur, que vous me haïssez et que, par conséquent, vous voudriez me faire sortir du nombre des vivants. Je puis contenter Votre Excellence.

« Ayez la complaisance, Monseigneur, de me prendre dans votre équipage et de me conduire où ma défaite ne puisse pas vous rendre fautif vis-à-vis des lois de la Pologne, et où je puisse jouir du même avantage, si Dieu m'assiste au point de tuer Votre Excellence. Je ne vous ferais pas, Monseigneur, cette proposition sans l'idée que j'ai de votre générosité.

« J'ai l'honneur d'être, Monseigneur, de Votre Excellence le très humble et très obéissant serviteur.

« Ce mercredi 5 mars 1766, à la pointe du jour. »* [16]

Ayant copié et cacheté ce billet, il alla réveiller son cosaque, qui dormait tout habillé sur le seuil de sa chambre, et l'envoya porter son message à la Cour, où le Postoli habitait, en lui ordonnant de le lui remettre en mains propres, sans nommer celui qui l'envoyait, et de retourner immédiatement à la maison. Ainsi fit-il. Il n'y avait pas encore une demi-heure qu'il était rentré, qu'un page du Postoli vint remettre au Vénitien la réponse suivante, écrite de la main et cachetée des armoiries du Grand-Panetier :

« Monsieur,

« J'accepte votre proposition, mais vous aurez la bonté, Monsieur, de bien vouloir m'avertir quand j'aurai l'honneur de vous voir. Je suis très parfaitement, Monsieur, Votre très humble et très obéissant serviteur.

« 5 mars 1766   BRANICKI P.* [17]

Par le noble laconisme de ce billet on voit que le Postoli n'hésita pas une seule minute à accepter la

---

* Les textes suivi d'un astérisque sont en français dans l'original.

provocation, et que ce fut même un plaisir pour lui de la recevoir. Une idée dut alors rapidement lui traverser l'esprit et venir le frapper droit au cœur : c'est que, ayant offensé un homme qui ne le craignait pas, cet homme pût s'imaginer qu'il avait à faire à un poltron, et par suite croire qu'il l'avait terrorisé. Il dut penser que l'homme qui le provoquait se croyait peut-être plus brave que lui, et il en rit ; et ensuite qu'il avait peut-être eu la malchance d'insulter un homme intrépide, et dans ce cas, il fut obligé de reconnaître qu'il lui devait une réparation au risque même de le tuer, s'il le fallait, mais en l'honorant en même temps et en le plaignant de vouloir bien se faire tuer plutôt que de supporter la moindre injure de sa part. La perspective d'un nouveau triomphe ne devait pas être étrangère à cette pensée. Il s'empressa donc d'accepter le défi, afin que l'adversaire, le supposant timoré, n'eût pas le temps de devenir plus audacieux. Il dut également avoir une autre pensée maligne à cet égard et s'imaginer que le provocateur avait espéré qu'il n'accepterait pas la provocation. Il l'accepta donc en se flattant qu'il allait, peut-être, se heurter à quelque acte de poltronnerie qui pût le justifier aux yeux du monde de n'avoir, en fin de compte, insulté qu'un lâche. Il dut désirer cependant, au fond du cœur, que son provocateur fût un homme courageux, car il n'arrive jamais qu'un homme brave estime un autre plus brave que lui : sa victoire n'en serait que plus glorieuse, et de cette victoire il était plus que certain.

Telles sont les pensées qui, en de pareilles circonstances, s'agitent dans l'esprit d'un homme vraiment noble. L'homme noble qui vous offense ne cherche pas des subterfuges pour se dérober à l'obligation de donner à l'outragé toutes les satisfactions d'honneur.

Ceux qui ne sont pas disposés à les donner sont des lâches, à moins qu'ils ne prouvent que les personnes qu'ils ont offensées méritaient de l'être, soit qu'elles eussent l'âme vile, insensible à tout affront, soit que l'humilité de leur condition ou le sentiment d'une légitime subordination les obligeât à se taire.

Le Vénitien, satisfait d'avoir conduit cette affaire à bonne fin, répondit sur-le-champ en ces termes :

« Je me rendrai, Monseigneur, demain matin, jeudi, à l'antichambre de Votre Excellence, j'attendrai votre réveil, et j'aurai toute la journée libre. Vous ne sauriez penser, Monseigneur, combien je me crois honoré par la réponse que Votre Excellence m'a faite.

« J'ai l'honneur, etc.* [18] »

Il remit cette réponse au même page qui retourna un quart d'heure après avec ce billet de l'impatient Postoli :

« Je ne consens pas à transporter à demain une affaire qu'on doit terminer aujourd'hui. Marquez-moi, en attendant, les armes et le lieu, etc. »*

Le Vénitien lui répondit :

« Je n'aurai point d'autre arme que mon épée, et quant au lieu, ce sera celui où Votre Excellence me conduira, hors de la starostie de Varsovie, mais pas avant demain, puisque aujourd'hui j'ai un paquet à remettre au Roi, j'ai pris médecine et j'ai un testament à faire.

« Je suis, etc.* [19] »

Une demi-heure après que cette lettre était partie, le Vénitien, qui était encore couché, fut quelque peu surpris de voir le Postoli paraître dans sa chambre, seul, et de l'entendre lui dire qu'il avait à lui parler d'une affaire secrète. À ces mots, les quelques subalternes qui se trouvaient par hasard dans l'appartement n'attendirent pas l'ordre de se retirer ; les deux principaux acteurs restèrent seuls et le Postoli s'assit au pied du lit.

Que le lecteur indulgent veuille bien permettre à celui qui écrit ces lignes d'employer la forme dramatique du dialogue pour continuer le récit de cette véridique histoire : il n'en sera que plus fidèle et plus clair.

LE POSTOLI *(assis sur le lit du Vénitien)*. – Je suis venu vous demander si vous prétendez vous moquer de moi.

LE VÉNITIEN. – Comment cela ! Mais j'ai, au contraire, le plus grand respect pour vous, Monsieur.

LE POSTOLI. – Vous m'envoyez une provocation et, après que je l'ai acceptée sans hésitation, vous cherchez à gagner du temps. Cela ne se fait pas. Si vous sentiez vraiment l'affront que vous prétendez que je vous ai fait, vous devriez avoir plus de hâte que moi à vous en venger.

LE VÉNITIEN. – Du poids de cet affront, je me sens déjà allégé, puisque vous vous êtes engagé à vous battre avec moi. Un délai de vingt-quatre heures n'est pas considérable ; notre querelle, après accord, est devenue telle qu'elle peut s'allier avec un peu de courtoisie. Qui nous pousse à aller nous battre aujourd'hui au lieu de demain ?

Le Postoli. – La conviction que j'ai que, si nous ne nous battons pas tout de suite, nous ne nous battrons jamais.

Le Vénitien. – Et qui pourra nous en empêcher ?

Le Postoli. – Un ordre royal de nous arrêter tous deux.

Le Vénitien. – Et comment ? Qui pourra faire connaître à Sa Majesté notre intention ?

Le Postoli. – Pas moi, certainement.

Le Vénitien. – Ni moi non plus.

Le Postoli. – Je ne sais. Je connais les ruses de votre nation.

Le Vénitien. – Je vous entends, mais vous vous trompez du tout au tout. Ma nation a appris la bravoure et la politesse à la vôtre et, en tant que cela dépendra de moi, je vous forcerai à la respecter. Sachez, en outre, que je suis si éloigné de ruminer des ruses pour éviter de me battre avec vous que, pour avoir un pareil honneur, je ferais plus de cent lieues à pied, tant est grande l'estime que j'ai pour vous. Sachez aussi que j'ai sur vous un avantage, c'est que, moi, je ne vous crois pas capable d'une lâcheté.

Le Postoli. – Je me réjouis de voir que vous me connaissez si bien, mais je ne suis pas tenu à avoir de vous la même opinion, car vous savez que je ne vous

connais pas. Je vous dirai, toutefois, que votre provocation m'a donné une bonne opinion de vous, mais en
différant le combat, vous me donnez maintenant de
vous une opinion désavantageuse. Pas tant de paroles
inutiles ; battons-nous aujourd'hui et donnez-moi,
ainsi, la meilleure des preuves que vous ne méditez
aucun des projets dont je vous soupçonne.

LE VÉNITIEN. – J'ai une médecine dans le ventre,
j'ai de très importantes lettres à écrire, et je dois faire
mon testament.

LE POSTOLI. – D'ici six heures la médecine aura
produit son effet ; les lettres, vous pouvez les écrire
après notre duel et, si vous succombez, croyez-moi,
ceux qui vous survivront ne vous reprocheront pas de
ne pas leur avoir écrit ; quant à votre testament, vraiment, vous me faites rire, vous prenez un duel pour
une chose trop sérieuse ; on ne meurt pas si facilement, sachez-le. Ne craignez rien. Je veux qu'en cela
vous pensiez comme moi, ce sont de petites bagatelles.
Je vous dirai enfin en deux mots qu'après votre provocation, que j'ai acceptée, j'ai le droit de vous dire
que je veux me battre aujourd'hui ou jamais. Vous
m'avez compris ?

LE VÉNITIEN. – Je vous ai si bien compris que vous
m'avez persuadé et même convaincu ; je suis prêt à
aller me battre aujourd'hui avec vous à trois heures
de l'après-midi.

LE POSTOLI. – Bravo ! vous me plaisez ainsi, mais
j'ai encore une chose à vous dire.

LE VÉNITIEN. – Dites-la, de grâce.

Le Postoli. – Vous m'avez écrit que votre arme était l'épée, il ne faut pas y songer.

Le Vénitien. – Et pourquoi ?

Le Postoli. – Parce que je puis me dispenser de me battre à l'épée avec un homme dont je ne connais pas la force à cette arme, et qui, pouvant être plus habile que moi, aurait sur moi un trop grand avantage, étant donné que, de cette arme, je ne sais que ce que l'on en apprend à l'École militaire, c'est-à-dire pas grand-chose.

Le Vénitien. – Vous pourriez refuser de vous battre à l'épée avec un maître d'armes, je vous l'accorde, mais pas avec moi, qui en sais encore moins que vous, car mon métier n'est pas celui des armes.

Le Postoli. – Je vous répète que je ne vous connais pas ; nous nous battrons au pistolet, l'arme est égale et égale aussi sera la bravoure.

Le Vénitien. – Le pistolet est trop dangereux ; à mon grand regret, je pourrais avoir le malheur de vous tuer, et vous pourriez également, malgré vous, sans peut-être me haïr, me tuer aussi. Donc, pas de pistolet. Avec une épée, j'espère ne pas vous blesser mortellement ; quelques gouttes de votre sang me laveront largement de l'affront dont vous m'avez sali. De votre côté, vous ne réussirez (tant j'aurai soin de me mettre en garde), si vous me blessez, qu'à me piquer légèrement la peau, et cette goutte de sang m'aura suffisamment lavé de la tache dont vous m'avez noirci. Rappelez-vous en somme que vous m'avez laissé le choix des armes, que j'ai choisi l'épée, et que je ne veux me battre qu'à l'épée ; j'ai donc le droit de soutenir qu'il ne dépend plus de vous de refuser.

Le Postoli. – C'est vrai ! je ne puis le nier, je n'ai plus le droit de retirer ma parole ; mais si je vous demandais cela comme on demande un plaisir à un ami !

Le Vénitien. – Un plaisir, oh ! le barbare !

Le Postoli. – Oui, un plaisir ; écoutez-moi. Nous commencerons notre duel par un bon coup de pistolet chacun et puis, si vous voulez, nous nous battrons ensuite à l'épée à satiété ; voilà le plaisir que je vous demande. Pourriez-vous me refuser une si mince faveur ?

Le Vénitien. – S'il est vrai, comme vous me le dites, que ce soit un grand plaisir pour vous, cela en sera également un grand pour moi de vous satisfaire. J'y consens. Nous échangerons un bon coup de pistolet ; mais laissez-moi rire, car je ne crois pas que ce soit un si grand plaisir. Je vous prie, en attendant, de porter avec vous deux pistolets de combat, car je n'ai que des pistolets de parade.

Le Postoli. – J'apporterai des armes parfaites. Vous m'avez sensiblement obligé. Je vous remercie et vous estime. Donnez-moi votre main. Vous viendrez avec moi et nous irons nous battre, avec une réciproque satisfaction ; nous deviendrons ensuite de bons amis. Je viendrai vous prendre exactement à trois heures de l'après-midi. Vous me promettez d'être prêt ?

Le Vénitien. – Je vous promets, Monsieur, que vous n'aurez plus besoin de monter l'escalier. Vous me trouverez tout à fait prêt.

Le Postoli. – Cela me suffit, adieu ! »

Dès que le Vénitien fut seul, il fit un paquet de ses papiers les plus importants, les mit sous scellés, et après avoir bien cherché à qui il pouvait les confier en toute sécurité, il se décida pour un Vénitien, maître de ballet, demeurant à cette époque à Varsovie, lequel s'appelait Vincenzo Campioni[20]. Il le fit venir et, en lui remettant le paquet, lui demanda s'il était disposé à lui jurer d'exécuter fidèlement la mission dont il allait le charger, ce à quoi il tenait plus qu'à la vie. Campioni le lui ayant juré, le Vénitien lui dit alors : « Si, à la fin de la journée, vous pouvez me parler, vous me rendrez ce paquet ; sinon, vous irez le remettre, en mains propres, à Sa Majesté. Et maintenant, dans le cas où cette mission ferait naître en vous quelques soupçons, je vous préviens que, si vous en faites part à qui que ce soit, je vous considérerai comme un traître et comme mon plus cruel ennemi. »

Cet homme, qui savait ce qui s'était passé la veille, entre le Grand-Panetier et le Vénitien, et qui dans la matinée avait, par hasard, vu sortir ce dernier de chez lui, ne douta pas qu'il s'agissait d'un duel. Il avait des craintes sérieuses pour la vie du Vénitien, auquel il était très attaché ; il ne dépendait que de lui d'aller immédiatement en référer au souverain : le duel n'aurait pas eu lieu, et il aurait ainsi écarté tout danger pour la vie ou la liberté de son ami ; mais il ne le fit pas, car s'il avait agi ainsi, il eût été lâche, parjure et traître ; c'eût été, en somme, un faux ami.

Le véritable ami ne saurait rien faire qui ne soit à l'entière satisfaction de son ami, et il croit mal fait tout ce qui paraîtrait mieux à un autre, si c'était fait d'une façon différente. Le véritable ami est admirable dans les affaires où la discrétion et le secret s'imposent. Il est très facile de lui faire voir et comprendre ce que l'on ne veut ni lui montrer ni lui dire ; ces réticences ne le blessent pas, et il ne s'en emploie pas moins avec ferveur à rendre service, tout comme si, se fiant à sa discrétion, on l'avait mis au courant de toute l'affaire. En définitive, le véritable ami n'est satisfait qu'autant qu'il a contenté celui pour lequel il s'est engagé, n'ayant en vue d'autre intérêt que celui de son commettant. Le faux ami, au contraire, est toujours mécontent de la manière dont on l'emploie ; il ne tarit pas en critiques tacites, il a toujours quelque intérêt personnel dans l'affaire qu'on lui a confiée, et un but secret qu'il n'oserait avouer. Quand il y a lieu de pénétrer le sens substantiel de l'affaire, il l'exécute *ad verbum* (à la lettre) ; et quand, au contraire, il ne faut pas s'écarter des instructions reçues, il cherche des finasseries. Il a toujours ou mal lu, ou mal compris, et, avec lui, personne ne s'est jamais suffisamment expliqué.

Ayant ainsi placé ses papiers en sûreté, le Vénitien se préoccupa de faire un bon dîner et donna des ordres en conséquence. Il envoya chercher deux jeunes gens instruits[21] qui, fraternellement, l'honoraient de leur affectueuse amitié, et les retint à dîner pour midi. Des mets exquis, du bon vin, la compagnie de personnes choisies et, surtout, bien affectueuses, constituent une alimentation qui élève un homme bien portant au plus haut degré de perfection.

Un dîner de cette sorte met en bon équilibre tous les fluides, renforce les solides, donne la vigueur nécessaire à toutes les facultés physiques et met gaiement en éveil toutes les vertus, qui, unies au courage surexcité, constituent un individu très apte à entreprendre n'importe quelle action importante où il a besoin de se posséder tout entier, et surtout de ne pas avoir à se reprocher un manquement quelconque s'il n'a pas la chance de réussir, afin qu'on ne puisse pas dire, après l'événement, qu'il ne sut pas se diriger. Le Vénitien savait cela : il n'ignorait pas davantage que les facultés du corps et de l'esprit restent assoupies chez ceux qui mangent et boivent avec excès, de sorte qu'après un repas trop copieux, ils sont, parfois, plongés dans une espèce de léthargie qu'ils croient être du sommeil, et dont ils n'auraient ressenti les effets s'ils n'avaient lassé, accablé et en quelque sorte mortifié leur tempérament avec une nourriture excessive, grossière, ou mal apprêtée.

La cuisine française, qui jouit à juste titre d'une réputation universelle, n'occasionne pas chez ceux qui savent l'apprécier et en savourer les délices sans avidité, de sommeil intempestif, ni des indigestions ou des regrets. Il n'y a pas d'individu qui ne soit,

après un dîner délicat, plus éloquent et plus
aimable ; il n'y a pas de femme qui ne soit plus belle,
plus captivante, plus sensée, plus maîtresse d'elle-
même, plus portée à bien penser, plus entraînée à
procurer d'honnêtes et licites plaisirs à ces pauvres
humains qui, s'ils s'abandonnaient à eux-mêmes, ne
trouveraient que misères, ennuis et fâcheuses discus-
sions. Comme la santé du corps dépend d'une bonne
nourriture, il ne faut pas douter que la tranquillité
de l'âme n'en dépende aussi puisqu'elle reçoit toutes
ses impulsions de l'état physique. Malheur à ceux
qui se sont fait la réputation de gros mangeurs ; ils
sont rares ceux qui, parmi ceux-là, savent ce que
c'est de bien manger ; la gloutonnerie est leur seul
guide, et quand on les regarde, on ne distingue chez
eux, ni au physique ni au moral, aucun des signes de
l'état d'âme que j'ai dépeint plus haut. L'excès de
nourriture engendre des maladies, abrège la vie, et
émousse les facultés de l'esprit.

Dulcia se in bilem vertent, stomachoque tumultum
Lenta feret pituita. Vides ut pallidus omnis
Cœna desurgat dubia ? Quin corpus onustum
Hesternis vitiis animum quoque pregravat una,
Atque affigit humo divinæ particulam auræ.[22]

Après avoir ainsi fait un bon repas arrosé d'une
bouteille d'excellent bourgogne, le Vénitien pria ses
amis de se retirer. Ils comprirent qu'un jour de courrier cette prière ne pouvait être considérée comme une

impolitesse. Resté seul, il se mit en mesure d'être prêt
à recevoir le Postoli qui, suivant leur accord, pouvait
arriver d'un moment à l'autre. Il arriva en effet, à
l'heure exacte, au grand trot de dix chevaux attelés à
une voiture anglaise à quatre places.

Le Vénitien descendit à la hâte l'escalier et se
trouva à la portière de la voiture au moment où le
Postoli allait en descendre. Le Postoli était accompagné d'un chambellan aide de camp général du Roi[23]
et d'un de ses chasseurs. L'aide de camp général qui
était assis auprès du Postoli céda sa place au Vénitien en s'asseyant sur le devant, mais celui-ci qui
avait déjà posé le pied sur le marchepied hésita à
monter quand il vit d'un simple coup d'œil qu'en
dehors des postillons, des chasseurs, des estafiers, des
pages, il y avait encore un autre aide de camp général
à cheval escorté d'un serviteur qui tenait à la main
deux chevaux tout harnachés. Il se retourna et dit à
ses deux domestiques, qui étaient sur le point de
monter derrière la voiture, de ne pas le suivre et
d'attendre là ses ordres. En entendant cela le Grand-
Panetier lui dit : « Laissez-les vous suivre, car il pourrait se faire que vous ayez besoin d'eux. » Le Vénitien
lui répondit : « Puisque je ne peux emmener avec moi
un nombre de domestiques égal au votre, je ne veux
pas de mes deux pauvres serviteurs ; vous en avez suffisamment pour me faire servir si j'en avais besoin.
Puis-je y compter ? – Oui, répliqua l'autre, et je vous
promets, en homme d'honneur, que je vous ferai servir même avant moi. » Ce disant, il lui tendit la main

que le Vénitien lui serra en montant en voiture et en prenant place à côté de lui. La voiture se mit immédiatement en marche, le Vénitien ignorant où l'on allait et ne se souciant pas de s'en informer. Ils n'étaient pas encore hors de la ville qu'il sembla poli au Vénitien de rompre le silence. Il demanda donc au Postoli s'il avait l'intention de rester à Varsovie l'été suivant : « Ainsi avais-je décidé de faire, mais vous serez peut-être cause que je devrai agir autrement. »

Le Vénitien lui répondit qu'il espérait ne lui occasionner rien qui pût lui être désagréable. « Je m'imagine, répondit l'autre, que vous avez le caractère d'un gentilhomme, ou que vous avez servi en temps de guerre. »

Le Vénitien, l'interrompant, lui dit qu'il ne s'était jamais cru si noble que ce jour-ci : « Mais pourquoi, ajouta-t-il, fixant le Postoli bien en face, me faites-vous cette demande? – Je ne sais vraiment pas pourquoi, répondit l'autre en souriant, je ne savais que vous dire. Ne parlons plus, je vous en prie. ». Et l'on ne parla plus.

Malgré une épaisse couche de neige les chevaux couraient fort bien ; ils arrivèrent deux heures et demie avant la nuit à Vola [24], vaste jardin appartenant au comte de Brühl, Grand-Maître de l'artillerie royale, qui se trouvait alors à Dresde. – Le Postoli s'étant avancé dans le jardin avec l'aide de camp général et toute sa suite, s'arrêta sous un berceau de forme ovale qui n'avait pas plus de dix perches de longueur et qui avait au centre une table en pierre.

Sur cette table son chasseur, auquel il avait fait un signe, déposa une paire de pistolets à longue portée, dont l'acier était très brillant; il y déposa en même temps une petite boîte en fer d'où il tira de la poudre, des balles, une balance et un chargeur de pistolet. Après avoir montré aux deux principaux intéressés que les armes étaient vides, il choisit deux balles de poids égal et de même calibre, il pesa deux quantités égales de poudre, et enfin chargea les pistolets.

Cela fait, le Grand-Panetier, d'un air courtois, pria le Vénitien de choisir l'arme qui lui plairait; il prendrait lui-même l'autre. Au moment où ce dernier se disposait à faire son choix, l'aide de camp général du Roi l'en empêcha vivement en s'écriant en allemand : « Il s'agit ici d'un duel, et je ne le permettrai pas. – Vous ne devez pas savoir, répondit Branicki, de quoi il s'agit; taisez-vous, regardez, et quand vous aurez vu, vous pourrez parler. – Je ne puis rien ignorer, répliqua l'autre ; nous sommes dans la starostie de Varsovie, je suis aujourd'hui de service, vous m'avez attiré ici par ruse avec l'intention de me rendre complice d'un délit qui ne pourra que provoquer la colère de Sa Majesté ; je m'oppose donc à vos projets. – Comment voulez-vous vous y opposer ? dit le Postoli en souriant ; le Roi vous pardonnera quand il saura que vous avez été présent au duel par surprise ; pour le reste, tranquillisez-vous, je prends sur moi toute la responsabilité de l'affaire à laquelle je voulais que vous assistiez pour de bonnes raisons. Avez-vous compris ?

Éloignez-vous donc de deux pas et laissez-nous faire. Je suis homme d'honneur et je dois donner satisfaction à quiconque croit avoir le droit de me la demander. Je veux montrer à cet Italien *que je sais payer de ma personne**.

– C'est donc à vous, M. C… qu'il appartient d'éviter ce duel, répliqua l'aide de camp général en s'adressant au Vénitien ; je vous invite en conséquence à soumettre votre querelle à Sa Majesté et vous préviens que vous ne pouvez vous battre ici, parce que vous êtes dans la starostie royale. »

Le Vénitien lui répondit alors qu'il ne songeait pas à se battre, mais à se défendre, ce qu'il aurait fait même dans une église ; mais que, s'il s'agissait de donner une marque de son respect pour le Roi (et ce disant il se découvrit) en lui confiant le soin de décider de la réparation que le Postoli lui devait, il était prêt à s'incliner, pourvu qu'il y fût invité par celui-ci, et qu'il était même prêt à renoncer à toute satisfaction ultérieure s'il voulait bien, séance tenante, lui dire *qu'il regrettait de lui avoir adressé la veille des paroles outrageantes*. D'un air brusque, le Postoli, le regardant bien en face, dit alors au Vénitien : « Monsieur, je ne suis pas venu ici pour raisonner, mais pour me battre *. »

L'aide de camp général leva alors les yeux au ciel et, se frappant le front, recula de deux pas. Le Postoli, avec calme, ôta sa pelisse, qu'un page vint prendre, et détacha son épée, qu'il remit au même page. Le Vénitien aurait eu honte de ne pas l'imiter : il agit de même et remit son épée à ce page, mais avec regret, car il ne savait pas comment l'affaire tournerait ; or s'étant séparé de son épée, il se trouvait désarmé.

Il pensa un instant qu'il pouvait garder son épée, en rappelant au Postoli la promesse réciproque de dégainer après un premier coup de pistolet, mais il craignit ou de se montrer moins courtois que lui, ou de paraître animé de mauvaises intentions. D'un geste le Postoli invita le Vénitien à prendre l'une des deux armes placées en croix sur la table. Il prit le pistolet dont la crosse était tournée vers lui, et le Postoli, rapidement, prit l'autre en lui disant textuellement : « L'arme que vous tenez, Monsieur, est parfaite ; j'en suis garant*. »

À cette formule de politesse, le Vénitien répondit par ces mots bien en situation : « Actuellement, Monseigneur, je le crois, mais je ne le saurai qu'après en avoir fait l'expérience contre votre tête ; prenez garde à vous*. »

Ils n'en dirent pas davantage, mais l'arme basse, en se regardant bien en face, ils reculèrent lentement de dix pas tous les deux, et restèrent ainsi éloignés l'un de l'autre de dix pas géométriques **, distance qui représentait presque toute la longueur du berceau.

Le Vénitien qui avait déjà levé la gâchette du pistolet, le canon tourné vers le sol, se mit sur le côté comme s'il devait se battre à l'épée, mais sans allonger la garde ; dans cette posture, ôtant son chapeau et le

---

** Expression même de Casanova (*dieci passi geometrici*).

portant vers son genou gauche, il dit au Postoli :
« Votre Excellence m'honorera de tirer le premier. »

L'autre répondit : « Mettez-vous en garde*. »

Le Vénitien se couvrit aussitôt, porta la main à son
côté gauche, et de l'autre main leva le pistolet. Quand
il le vit à la hauteur du corps du Postoli il tira. Au
même instant le Chevalier déchargeait le sien, de sorte
que les assistants n'entendirent qu'une seule détona-
tion, tant il est vrai qu'ils firent feu tous deux en
même temps.

Il est certain que si le Postoli n'avait pas perdu du
temps, il aurait tiré avant l'autre, et l'aurait peut-être
tué ; mais il perdit au moins trois secondes à dire :
« Mettez-vous en garde », ce à quoi il n'était pas obligé
de penser. En outre, il perdit encore du temps en allongeant sa garde tant qu'il pouvait en étendant le corps,
de façon que le Vénitien ne pût voir sa tête, à laquelle
il croyait qu'il allait viser, à cause des paroles que le
Vénitien lui avait adressées, sans y attacher d'impor-
tance, en prenant le pistolet, menace que celui-ci
n'avait pas l'intention d'exécuter, car il n'ignorait pas
le grand désavantage qu'il y a, pour un duelliste, à
viser son adversaire à la tête au lieu de le viser à la poitrine. Le Vénitien, après avoir dit à son adversaire :
« Faites-moi l'honneur de tirer le premier », ne se crut
pas lié par cette formule de simple politesse, à attendre
le bon vouloir du Postoli ; il ne songea pas au médiocre
avantage qu'il pourrait obtenir à se faire plus petit en
allongeant sa garde. Conservant la position commode
dans laquelle il se trouvait, sans faire le moindre mou-

vement, sans un clignement d'œil, il tira d'une main ferme. Il se sentit presque aussitôt blessé à la main gauche, qu'il cacha immédiatement dans la poche de son habit, et il vit le Postoli se soutenir de la main gauche pour ne pas tomber à terre. Puis il l'entendit s'écrier : « Je suis blessé. »

Le Vénitien jeta son pistolet en l'air et s'élança vers le Postoli ; à peine avait-il fait quelques pas qu'il aperçut deux sabres polonais brandis au-dessus de sa tête, prêts à le tailler en pièces, ce qui serait arrivé car il s'était arrêté et, immobile, il attendait les deux coups de tranchant ; mais le Postoli, qui chancelait sur ses jambes, cria à ces scélérats d'une voix pleine de colère : « Canailles, respectez ce chevalier. »

À cette injonction, ces lâches prirent honte et se retirèrent. C'était pourtant de vrais amis de Branicki.

Le Vénitien accourut vers cet homme généreux et, lui passant la main droite sous l'aisselle gauche, l'aida à se relever pendant que l'aide de camp général, abattu, le soulevait à son tour du côté droit. Ainsi soutenu des deux côtés, marchant courbé et suivi des siens, il arriva à une auberge située à cent pas de distance, où on l'étendit sur un grand fauteuil pour examiner sa blessure. Après l'avoir couché de tout son long les domestiques le déboutonnèrent rapidement, relevèrent sa chemise ensanglantée jusqu'à la poitrine ; l'on put constater que la balle était entrée dans le corps entre la troisième et la quatrième côte de droite, était sortie en suivant une diagonale de la longueur de la main vers le milieu de l'hypocondre gauche, en laissant les intestins indemnes ; et cela grâce à la position effacée que le Postoli avait prise quand il reçut le coup. Pendant que les domestiques lui lavaient le ventre tout inondé de sang, le Vénitien qui était à côté de lui, debout, s'aperçut que le Postoli dirigeait de temps en temps son regard du côté de son ventre ; il s'aperçut alors qu'en effet le sang coulait à flots de cet endroit, ce dont il s'étonna, mais sans le faire paraître.

Quand le Postoli vit son horrible blessure, il ordonna immédiatement d'un ton calme que l'on courût à la ville chercher des chirurgiens, et il dit au Vénitien qui se tenait appuyé au dossier de la chaise longue : « Monsieur, vous m'avez tué, j'ai le cordon de l'Aigle blanc et une charge dans la couronne ; les duels sont défendus, et nous sommes dans le district de Varsovie ; vous serez condamné à mort ; sauvez-vous ; servez-vous de mes chevaux dont je croyais devoir me servir moi-même, allez en Livonie, et si vous n'avez pas d'argent, acceptez ma bourse*. »

Le Vénitien, admirant de si généreux sentiments, lui répondit l'angoisse dans l'âme : « J'accepterais vos offres, Monseigneur, si je pensais à me sauver. Je vais à Varsovie me faire soigner de mes blessures ; et je veux espérer que celle dont vous m'avez forcé à être l'auteur n'est pas dangereuse. Si je suis coupable de mort, je vais porter ma tête au pied du trône*. »

Cela dit, il l'embrassa sur le front et partit seul, en traversant un champ couvert de neige pour arrêter sur la grand-route un traîneau attelé de deux chevaux qu'il voyait arriver soudain au galop. Sans ce traîneau que la Providence lui envoya, il se serait trouvé en mauvaise posture, car il eût été dangereux et difficile de se rendre à pied à la ville, à cause du sang qu'il perdait en quantité par ses blessures de la main et du ventre, ainsi que des douleurs lancinantes qu'il éprouvait particulièrement à la main où la plaie s'irritait. Cette situation suggéra au Vénitien les réflexions critiques suivantes.

Monsieur le Postoli le fit venir seul sur le terrain, tandis que lui était accompagné de dix personnes, et ce fut une supercherie, car si Branicki avait été tué, ses amis n'auraient pas manqué de tuer le meurtrier. C'est d'ailleurs ce qui faillit avoir lieu, et en pareille matière, le point d'honneur et la délicatesse exigent que tout soit prévu.

Le Postoli avait promis au Vénitien de se battre à l'épée après l'échange de deux coups de pistolet; or, en détachant son épée, il obligea l'autre à en faire autant par délicatesse, ce qui l'exposa au plus grand des dangers. Quand il entra dans sa voiture, il lui jura sur l'honneur qu'il le ferait servir par ses gens mieux que lui-même; or, il ne le fit pas, de sorte que sans ce traîneau, qui lui fut certainement envoyé par la Providence, il restait opposé à la fureur de cet endiablé de Bissinski, qui l'aurait pourfendu tout net et qui d'ailleurs le poursuivit dix minutes après comme on le verra ultérieurement. Le coup de pistolet que le Postoli envoya au Vénitien l'atteignit un pouce audessous du nombril, la balle glissa à fleur de peau en y faisant une blessure superficielle qui, cependant, suppura pendant plusieurs jours, mais que, sur le moment, il ne sentit pas ; elle pénétra dans sa main gauche, dans les muscles du pouce, lui brisant la première phalange, à l'intérieur de laquelle elle resta écrasée, comme le constata le chirurgien qui, pour l'extraire, fut obligé de lui ouvrir la main du côté opposé supérieur.

Aussitôt entré dans le traîneau qu'il s'était procuré en offrant un sequin au paysan qui le conduisait, il s'y étendit et se fit couvrir d'une natte, beaucoup plus pour se mettre à l'abri de la neige, que le trot des chevaux faisait éclabousser dans le véhicule, que pour se dissimuler. Bien lui en prit d'être ainsi couvert, à l'abri de tout regard indiscret, car il avait tout au plus parcouru un mille qu'il aperçut Bissinski courant au grand galop de son cheval, le sabre nu, espérant le rencontrer pour le mettre en lambeaux, ce qu'il aurait fait d'aussi bon cœur qu'un berger tire sur le loup qu'il rencontre au moment où il emporte par le cou une brebis qu'il lui a ravie et tuée. Bissinski aurait exécuté son projet sans même s'imaginer qu'une action pareille pût être considérée comme un meurtre et une trahison, tant est grande, aujourd'hui encore, chez le Polonais l'idée que la vengeance est un acte héroïque.

Bissinski, ne pouvant se douter que le Vénitien était caché sous la natte, continua sa course folle vers l'auberge où son ami le Postoli attendait qu'on vînt le soigner.

Quant au Vénitien, il arriva sans encombre à Varsovie où, n'ayant trouvé personne au palais du prince Adam Czartoryski, il se décida à chercher un refuge au couvent des Récollets. Comme il s'y présentait, le portier, qui ne le connaissait pas du tout, le voyant couvert de sang, allait lui fermer la porte au nez, le prenant pour un malfaiteur, mais le Vénitien ne lui en donna pas le temps et entra de vive force, le bousculant et le jetant à terre. Plusieurs moines accoururent au bruit avec le père gardien, qui finit par se décider à lui accorder l'hospitalité. Il n'était pas installé dans une chambre depuis une demi-heure qu'elle fut envahie par les premiers seigneurs de la Cour, les plus hauts cotés, car le Postoli, au fond, bien qu'intrépide et valeureux, était considéré comme le plus grand ennemi de la nation, et, favori du Roi, il était, comme le sont tous les favoris, maudit, craint, envié et détesté de tous. Les plus importants des magnats s'empressèrent donc d'accourir au couvent, les uns pour entendre le récit du duel, les autres pour offrir leur protection au Vénitien, voire de l'argent, qu'il refusa, bien à tort, car s'il avait été plus avisé, il l'aurait accepté, mais à ce moment-là il se trouvait trop sous l'influence de sentiments héroïques. La nécessité, cependant, l'obligea à recevoir cent sequins du Prince Palatin de Russie et de son fils le prince Adam ; il consentit à ce qu'il lui envoyât tous les jours un repas complet, non pas pour lui, qui était à la diète, mais pour ceux qui venaient le voir au moment du dîner.

Un chirurgien français accourut immédiatement pour le soigner ; il commença par le saigner et lui ouvrit ensuite le dessus de la main, près du pouce, lui enleva la balle, lui passa dans la blessure un cordon de soie, lui fit un pansement, lui prescrivit une médecine, disant que l'estomac d'un blessé doit être libre de toute matière et qu'il devait rester à jeun sauf un léger bouillon ; le Vénitien n'osa pas s'opposer à cet ordre comme il l'aurait voulu, car il entendit le chirurgien, qui se flattait de connaître le latin, le foudroyer de cet aphorisme : *Vulnerati fame crucientur*. L'opération que lui fit subir le chirurgien pour lui extraire la balle de la main fut extrêmement douloureuse ; mais il la supporta avec stoïcisme, car il n'y pas de douleur qu'une âme résolue ne puisse dissimuler. Pendant que le chirurgien opérait, le Vénitien racontait son duel au Palatin Kalish Tuardouski et à d'autres magnats présents. Malgré la douleur qu'il ressentait, il put éviter de donner un signe visible de souffrance, et d'interrompre son récit. Le « Je ne puis » est trop souvent sur les lèvres des mortels, mais chez l'homme de volonté, ces paroles s'y trouvent rarement.

Le prince Stanislas Lubomirski [25], alors Strasnik, maintenant Grand-Maréchal de la Couronne, savant et charmant seigneur, vint trouver le Vénitien à la tombée de la nuit et lui raconta la scène dramatique qui s'était passée après le duel.

Quand le furibond Bissinski, arrivé à Vola, vit son ami Postoli dans l'état où il était, et sut que le Vénitien était parti, il devint fou de rage ; il remonta à cheval, décidé à aller le chercher dans les recoins les plus cachés, non pas pour le provoquer en duel, mais pour le tuer comme un chien, n'importe où il le trouverait. Il s'imagina, en arrivant à Varsovie, que le Vénitien s'était réfugié chez le comte Tomatis, italien comme lui et dont il était l'ami ; il se figura aussi que le Vénitien avait été excité par ce même Tomatis désireux de se venger d'une atroce injure qu'il avait reçue du Postoli quelque temps auparavant et pour laquelle ce dernier aurait mérité que Tomatis l'eût tué sur-le-champ. Mais, même si Bissinski n'avait pas pensé à cela, il devait certainement supposer que le comte Tomatis serait très heureux que le Vénitien eût blessé grièvement le Postoli et puni l'insolence du trop effronté chevalier ; aussi Bissinski décida qu'il n'était plus digne de vivre, et il alla chez lui pour le tuer s'il n'y trouvait pas le Vénitien.

Descendu de cheval dans la cour, il monta l'escalier avec fureur, trouva le comte Tomatis en joyeuse compagnie de dames et de gentilhommes. Il lui demanda de lui livrer immédiatement le Vénitien. Tomatis ayant répondu qu'il ne savait où se trouvait la personne en question, Bissinski sortit de sa poche un pistolet et le lui déchargea en plein visage. Heureusement le coup rata. Le comte Mozinski[26], Stolnik de la Couronne, aimable, savant, généreux et très vigoureux de sa personne, qui était présent, se précipita spontanément sur le forcené pour le jeter par la fenêtre, mais Bissinski, qui avait par malheur le bras droit libre, donna à Mozinski deux coups de sabre dont l'un le blessa au bras gauche, et l'autre à la figure, lui faisant une large balafre qui, du haut de la joue gauche, descendait sous la bouche à droite, fendant la lèvre, lui enlevant quatre dents et le blessant grièvement aux gencives. Cela fait, il se précipita sur le prince Stanislas Lubomirski, qui se trouvait également dans cette compagnie, et, toujours armé de son pistolet, le prit par le bras et menaça de le tuer s'il ne le conduisait immédiatement, sain et sauf, jusqu'à son cheval qu'il avait laissé dans la cour. C'était un démon dont il ne fallait pas contrarier les ordres ; le prince l'accompagna jusqu'à son cheval et le laissa aller au diable.

En attendant, le tumulte et la frayeur régnaient à Varsovie. Le bruit s'était répandu que le Vénitien avait tué le Postoli ; les uhlans et les excellents amis de Branicki parcouraient toutes les rues de la ville à cheval, recherchant le meurtrier, qu'ils ne connaissaient pas d'ailleurs, et distribuant des coups de sabre à tous ceux qu'ils rencontraient et qui n'étaient pas habillés à la mode polonaise.

Tous les commerçants avaient en hâte fermé leurs boutiques comme s'ils redoutaient l'invasion d'une armée turque prête à entrer victorieusement pour mettre la ville à feu et à sang. Heureusement la nuit survint et fit cesser tout ce désordre.

Tel est le récit que fit au Vénitien, cause de tous ces événements, le prince Lubomirski lequel, sous la menace d'un pistolet, avait aidé l'assassin à se retirer sain et sauf de la maison du comte Tomatis.

À ce moment un moine entra dans la chambre pour dire que le couvent était tout entouré de gardes ; le prince dit que c'était par ordre du grand-maréchal de la Couronne, qui avait des raisons de craindre que les uhlans ne forçassent les portes pour s'emparer de la personne du Vénitien et, en le tuant, venger leur colonel.

Le tribunal du grand-maréchal de la Couronne, auquel ressort tout le criminel, et qui condamne à mort, sans appel, les malfaiteurs, avec le droit de refuser leur grâce, même si elle était demandée par le Roi, publia contre Bissinski, qui s'était réfugié à Königsberg, un arrêt d'exil, sous peine de mort, avec mise à prix de sa tête, confiscation de ses biens et dégradation nobiliaire.

Sur ces entrefaites, arriva un officier du prince Czartoryski, Palatin de Russie, qui remit au Vénitien un billet dans lequel s'en trouvait inclus un autre. Celui du Prince était ainsi conçu : « Lisez, mon ami, ce que le Roi m'écrit et mettez votre esprit en repos*. » Le billet annexé était du roi et disait : « J'ai donné ordre, mon cher oncle, à mes chirurgiens d'avoir grand soin de Braniski, mais j'ai su toute l'affaire, et je n'ai pas oublié le pauvre C… Vous pouvez lui faire savoir que je lui fais grâce*. »

Le Vénitien baisa les deux billets, et ayant besoin de repos, il pria les assistants de se retirer, et se coucha.

Le jour suivant, le Postoli lui envoya un de ses officiers pour prendre de ses nouvelles, lui rapporter son épée et lui faire savoir que la blessure reçue n'était pas jugée mortelle, mais qu'elle exigeait un long traitement. Le Vénitien fit faire une démarche pareille auprès du Postoli, et ces visites réciproques se renouvelèrent tous les jours.

Les desseins de la Divine Providence sont manifestes dans toutes les circonstances, et seuls les ingrats ne veulent pas appliquer là-dessus leur réflexion et reconnaître la vérité. Le Postoli ne périt pas dans ce duel pour avoir fait précisément ce que le Vénitien ne fit pas ; et celui-ci serait probablement resté sur le carreau s'il avait fait ce que le Postoli crut devoir faire. Aussitôt que Branicki eut fixé l'heure de la rencontre et qu'il en fut certain, il alla se confesser et communier, et entendit la messe avec la plus profonde dévotion. Puis, il s'enferma seul pendant deux heures, et ne voulut prendre aucune nourriture. L'événement a prouvé qu'il fut redevable de la vie au fait d'être resté à jeun. S'il avait mangé, la balle aurait perforé les intestins gonflés, et il en serait mort. Le Vénitien, au contraire, s'il était resté à jeun, aurait parlé d'une tout autre manière ; il n'aurait pas produit sur son adversaire cette impression qui, pour si peu qu'elle l'ait troublé, paralysa en partie l'adresse bien connue qu'il avait au pistolet : il coupait en deux une balle en tirant sur la lame d'un couteau. Le Vénitien ne s'était jamais exercé au pistolet, et, quand il se décida à se battre, il savait que la balle, en sortant, ne pouvait parcourir que la ligne droite ; et c'est avec la certitude de viser droit grâce au bon dîner qu'il avait fait et qui lui rendit le poignet solide, qu'il alla se battre et qu'il fut vainqueur.

Ceux qui prétendent que le Vénitien aurait mieux fait de tirer en l'air et qui croient qu'il aurait, en agissant ainsi, fait une action fort héroïque et peut-être même se serait réservé un brillant avenir, raisonnent mal et se trompent étrangement. Il me semble que, quand ce cas se présente, c'est plutôt le hasard que la préméditation qui en est cause ; et s'il a été prémédité, j'estime qu'il est fou à lier celui qui, allant se battre, médite un projet de ce genre, car le premier conseil que l'on donne à ceux qui affrontent un duel, c'est de mettre le plus tôt possible l'adversaire dans l'impossibilité de vous nuire. L'art de forcer son adversaire à décharger son arme pour en devenir le maître appartient à celui qui se bat au pistolet à cheval, alors qu'on ne peut atteindre que la croupe du cheval, car la tête couvre le cavalier, et tuer le cheval serait une lâcheté. Il n'en va pas de même quand on est à pied. C'est comme à l'épée ; les armes en main, chacun pense à soi, mais l'adversaire courtois ne décharge son arme que lorsqu'il voit l'autre se préparer à tirer, car la préparation et le tir ne constituent qu'un seul mouvement.

Le Vénitien dit à son adversaire, en tenant le canon de son pistolet baissé, de tirer le premier pour le troubler et lui donner, en ce moment critique, une marque de respect, et voilà à quoi peu d'hommes ont la force de penser ; mais se recoiffer, relever le pistolet et tirer, fut l'affaire d'un instant, et l'autre aurait certainement tiré le premier s'il n'avait perdu un temps précieux à allonger sa garde. Le Vénitien eût été un imbécile de ne pas profiter de cette faute. Que si, après cela, le

Postoli avait tiré tout de suite et s'il eût raté le coup, alors je puis affirmer, moi qui connais le Vénitien, que celui-ci se serait précipité en ami dans les bras de Branicki en tirant en l'air. Ces circonstances démontrent que le fait de tirer en l'air ne peut raisonnablement être le résultat d'un projet prémédité. Mais qui peut savoir si le Postoli, après avoir vu son adversaire tirer en l'air, n'aurait pas exigé de recommencer le duel ?

Avec certaines gens, bouffis d'orgueil, les gestes héroïques tournent au détriment de leur auteur. Celui qui évite les occasions de se battre est un sage, mais dès qu'il y est obligé, il doit tout faire pour se débarrasser de son adversaire.

Il reste à examiner le point de savoir lequel des deux combattants a fait preuve d'une plus grande foi religieuse. Le Grand-Panetier alla se confesser. Mais s'il avoua tous ses péchés, je ne comprends pas comment il put recevoir l'absolution et, s'il ne dit pas tout, je comprends encore moins comment il put être satisfait d'une absolution obtenue par surprise. On m'a affirmé qu'un homme de guerre trouve facilement un confesseur qui lui permet d'aller se battre et lui donne même, *modo provisionis*, l'absolution comme s'il était à l'article de la mort *(in articulo mortis)*. Cela peut bien se faire, mais le duel dont il s'agit ici n'a rien de commun avec ceux que la religion permettait autrefois, c'est-à-dire quand dominait l'esprit de la chevalerie errante. Cet esprit règne encore aujourd'hui chez quelques exaltés. Je m'imagine que Branicki dut dire à son confesseur que son honneur exigeait qu'il allât se battre ; et l'honneur pour un guerrier vaut plus que l'existence. Il trouva un confesseur qui admit docilement cette explication. C'est ainsi que cela dut se passer ; mais je n'en suis pas moins surpris de l'élasticité de cette conscience qui croit avoir aussi légitimement obtenu l'absolution.

J'ai su depuis comment avait raisonné le Vénitien, qui, bon catholique, se souciait pour le moins autant que le Postoli du salut de son âme. Celui-ci ne serait pas allé se battre, s'il avait été sûr d'être tué, très convaincu qu'il aurait mérité les flammes éternelles. Voici, à mon avis, la courte prière qu'il dut adresser au Seigneur : « Je sais, ô mon Dieu, que je ne puis aller me battre sans pécher, car je me dispose à commettre un homicide ; ayez donc pitié de mon âme, en m'évitant d'être tué, car si je l'étais, je sais qu'il ne me serait même pas permis de vous prier de m'exempter des flammes éternelles. Accordez-moi, ô mon Dieu, le temps et la force de me repentir de ce péché que je vais spontanément commettre par orgueil. »

Cette prière aussi est absurde, et elle est un contresens, d'abord parce qu'il est ridicule de prier le Souverain Maître de vous accorder d'avance la grâce d'un crime qu'on a l'intention de commettre ; ensuite parce qu'on n'a pas besoin de se faire pardonner un crime qu'on est le maître de ne pas perpétrer. En le commettant on est doublement coupable, si on aspire témérairement à ce pardon. Quoi qu'il en soit, la religion du Vénitien me paraît plus rationnelle que celle du Polonais.

Le jour suivant, un jésuite, se disant le confesseur de Mgr Czartoryski [27], évêque de Posnanie, vint au couvent et demanda à s'entretenir en tête à tête avec le Vénitien.

Ayant fait éloigner les personnes présentes, il lui dit qu'il était venu de la part de Monseigneur pour le relever des censures ecclésiastiques qu'il avait encourues par le fait de son duel. Le Vénitien le remercia et lui dit qu'il ne se croyait pas excommunié parce qu'il savait qu'il n'y avait pas eu de duel de sa part. Ici, il y eut une sérieuse discussion entre les deux interlocuteurs sur le point de savoir si le Vénitien était ou non coupable du duel. Cette discussion ne se serait pas facilement terminée, si le jésuite n'avait pas trouvé un moyen terme qui ne déplut pas au prétendu excommunié. Voici la formule par laquelle il confessa son délit : *Bien que ce duel ne me semble pas en être un pour moi, si mon différend avec le Grand-Panetier de la Couronne fut vraiment un duel, je m'en confesse, je m'en repens, et je demande à notre Sainte Mère l'Église l'absolution de mon péché et ma réintégration dans la Communion des fidèles.*

Cela dit, le bon Père lui donna l'absolution et s'en alla. Le Vénitien s'empressa pour de bonnes raisons de porter par lettre ce fait à la connaissance du Prince Palatin de Russie. Il avait tout intérêt à ce que son affaire ne pût pas être considérée rigoureusement comme un duel, et, en fait, elle n'en avait, pas à la rigueur, toutes les conditions.

Le chirurgien cependant n'était pas content de la façon dont la blessure se comportait : elle était noirâtre, elle suppurait, le bras était enflé, et il craignait la gangrène imminente. Cinq jours après avoir enlevé le pansement, il déclara, sans ambages, qu'il fallait amputer la main ; au même moment arrivèrent deux chirurgiens de la Cour, qui, après un sérieux examen de l'état de la plaie, décidèrent que l'amputation était indispensable.

« Vous consentirez donc, Monsieur, à vous laisser couper la main (dit le chirurgien, qui était français, au Vénitien, qui depuis cinq jours était mourant de faim) ; nous ferons cela avec une adresse étonnante et cela ne sera pas long ; en deux minutes vous serez servi.

– Monsieur, répondit le malade, je n'y consens pas.

– Et pourquoi, s'il vous plaît ? dit l'autre.

– Parce que je veux garder ma main, et personne ne peut y trouver rien à redire, puisque je suis son maître souverain.

LE CHIRURGIEN. – Mais, Monsieur, la gangrène va s'y mettre.

LE VÉNITIEN. – Y est-elle ?

LE CHIRURGIEN. – Pas encore, mais elle est imminente.

LE VÉNITIEN. – Fort bien. Je veux la voir ; j'en suis curieux. Nous parlerons de cela après son apparition.

LE CHIRURGIEN. – Ce sera trop tard.

LE VÉNITIEN. – Pourquoi ?

LE CHIRURGIEN. – Parce que ses progrès sont extrêmement rapides, et il sera alors nécessaire de vous couper le bras.

LE VÉNITIEN. – Très bien. Vous me couperez le bras, mais, en attendant, remettez-moi mes bandeaux, et allez-vous en *. »

Deux heures après, le Vénitien sut par le prince Czartoryski que le Roi avait dit qu'il était fou de ne pas vouloir se laisser couper la main, puisqu'il serait ensuite obligé de se faire couper le bras. Il répondit au Prince (en le priant de remercier le Roi) qu'il n'aurait su que faire de son bras sans sa main et qu'il ne pouvait se résoudre à se la laisser couper avant de savoir si la gangrène s'y mettrait, et que dans ce cas seulement, il ne s'opposerait plus à l'amputation.

Vers le soir, les trois chirurgiens revinrent, tout dispos, pour procéder à l'opération ; ils avaient l'air joyeux et satisfaits. Ayant enlevé le pansement, ils furent stupéfaits de voir la blessure en bel état et en voie de guérison. Le plus malin d'entre eux, qui était polonais, ne manqua pas de déclarer que c'était là l'œuvre d'un saint. Au bout de trois semaines le Vénitien sortit du couvent, le bras en écharpe, très amaigri mais sain et sauf. C'était le dimanche de Pâques. Après avoir rempli ses devoirs religieux, il alla à la Cour, pour baiser la main du Roi, mais il ne l'y trouva pas. Ayant appris qu'il était chez le prince Oginski [28], il s'y rendit et ayant mis un genou à terre devant Sa Majesté, lui baisa la main droite. Le Roi le releva et

---

* Tout ce dialogue est en français dans le texte italien.

lui demanda comment allait ce rhumatisme qui l'obligeait à tenir le bras en écharpe, et sans lui donner le
temps de lui répondre : « Je vous conseille, dit-il,
d'éviter à l'avenir toutes les occasions de contracter
de semblables maladies, car elles sont mortelles. » À
quoi le Vénitien ne répondit rien et baissa la tête. Cela
fait, il alla rendre visite au Postoli qui occupait un
appartement dans le palais du Grand-Chambellan.
Dans l'antichambre, il remarqua l'étonnement qui
accueillit sa demande d'être annoncé. Timidement, un
officier polonais entra dans la chambre du comte, bien
convaincu que le Vénitien ne serait pas reçu, mais il se
trompa, car il revint et donna l'ordre à un domestique
d'ouvrir les persiennes, et le Vénitien fut introduit.

Il trouva le Postoli couché, exténué, émacié, mais
qui, malgré cela, lui tendit courtoisement la main. Le
Vénitien la prit, la lui baisa presque par force et lui
dit : « Je suis au regret, Monsieur, d'être le premier à
faire ma visite à Votre Excellence ; je viens vous dire
que je reconnais avoir été beaucoup plus honoré
qu'offensé par Votre Seigneurie et je vous demande
pardon si je n'ai pu, à la Saint-Casimir, dissimuler le
sentiment qui fut cause de votre état présent. Je serai
heureux si vous voulez bien, à l'avenir, m'honorer de
votre amitié et de votre protection. »

La première assertion était fausse, la seconde était
exacte, et les désirs étaient sincères. Le Postoli répondit : « Je suis charmé de vous voir, Monsieur ; je vous
demande, pour le temps à venir, votre amitié ; je crois
avoir assez bien payé de ma personne pour la méri-

ter. Je vous prie de vous asseoir. Qu'on porte à Monsieur du chocolat*. »

Ils s'entretinrent ainsi en tête à tête, mais cependant peu de temps, car au bout d'un quart d'heure, on vit arriver plus de dix voitures de seigneurs qui, ayant su que le Vénitien, en sortant du palais Oginski, s'était fait conduire chez le Postoli, étaient accourus, curieux de savoir quelles conséquences pourrait avoir une visite aussi étrange et hardie. Ils entrèrent tous et furent heureux de voir les deux ex-adversaires dans l'attitude de la plus sincère réconciliation.

Le Vénitien devait cette visite au Postoli, à tous les points de vue et, cependant, il n'aurait jamais osé la faire, si l'autre n'avait constamment envoyé, tous les jours, un des siens prendre des nouvelles de sa santé.

Sa quatrième visite fut pour le respectable vieillard qu'était Bielinski [29], Grand-Maréchal de la Couronne. En l'approchant il lui baisa la main. Ce grand homme lui demanda s'il avait été chez le Roi. « Vous lui devez la vie, dit-il, car, si Sa Majesté ne m'avait pas persuadé qu'il fallait vous faire grâce, je vous aurais condamné à mort. » Le Vénitien, quoique peu convaincu, baissa la tête et sut se taire.

Il passa deux mois à Varsovie après ces événements, comblé d'honneur, mais peu rassuré, car il s'était fait beaucoup d'ennemis et avait des raisons de craindre des guet-apens nocturnes. Il avait dû refuser, en effet, plusieurs invitations suspectes qui se seraient terminées par des rixes sanglantes. On avait adressé au Roi et à plusieurs Grands du Royaume des lettres anonymes qui montraient le pauvre Vénitien sous le jour le plus abominable. Ces lettres affirmaient qu'il avait été chassé non seulement de sa patrie, mais encore de presque tous les pays d'Europe, ici pour accaparement de café, là pour trahison, ailleurs pour rapts et pour des scélératesses infâmes et, dans sa patrie, enfin, pour des faits tellement épouvantables qu'il était interdit de les faire connaître. Tout cela n'était qu'un tissu de calomnies, mais l'effet de la calomnie n'est-il pas parfois le même que celui des accusations fondées sur des vérités ? La justification, il est vrai, les dissipe, mais qui ne sait combien il est difficile de se justifier ? Personne n'ignore qu'un malheureux calomnié n'a jamais pu présenter sa justification sans laisser quelques bribes de son honneur et de sa réputation.

Ce qu'il y a de plus sage à faire pour celui qui est visé par les persécutions de l'envie, c'est de changer de climat.

Vir fugiens denuo pugnabit [30].

Mais il est dur de s'en aller et de laisser le champ libre aux scélérats qui triomphent. C'est vrai, mais ainsi doit agir celui qui n'a pas su prévoir qu'il est toujours dangereux de susciter l'envie et qui a oublié que quiconque l'excite finit par s'en repentir. On ne doit pas abandonner la vertu pour ne pas éveiller l'envie :

Invidiam placare paras virtute relicta ?
Contemnere miser. Vitanda est improba Siren
Desidia [31].

Le Vénitien se décida à aller voir la Podolie, la Volhynie, la Pocutie et cette Russie polonaise qui, avec un autre nom, est aujourd'hui sous un autre sceptre et jouit d'un régime beaucoup plus sage que l'ancien.

Il employa trois mois à faire cette tournée, et il n'eut à supporter aucun frais d'hôtel, car il fut reçu partout très généreusement par la noblesse du pays, qui exécrait le nouveau régime et se tenait éloignée de la Cour. Cette noblesse fut, plus tard, sévèrement punie de son indocilité par l'empereur de Russie, quand elle osa, en pleine Diète, s'opposer ouvertement à la volonté du souverain. Si le Vénitien n'avait pas vu ces pays, il connaîtrait mal l'ancienne Pologne.

Il retourna à Varsovie. Son bras avait retrouvé toute sa vigueur. Le Postoli aussi était guéri [32]; il le rencontra, au moment où il sortait pour aller à la Cour, mais il se garda bien d'inviter le Vénitien à l'y accompagner. Il soupa chez la princesse Lubomirska où se trouvait le Roi, son cousin, qui ne lui adressa même pas la parole. D'autre part, le Prince Palatin de Russie ne lui offrit plus l'appartement que le Prince splendide lui avait si généreusement meublé. *Denigratum est aurum*, pensat-il, et il prévit ce qui allait lui arriver.

Ce même aide de camp général, qui avait assisté à son duel, vint lui donner l'ordre au nom de S. M. de quitter la starostie de Varsovie dans les huit jours. Le Vénitien ayant écrit au prince Czartoryski pour se plaindre de l'injuste compliment que lui faisait le Roi, n'en reçut que cette réponse : *Invitus invitum dimitto*. Il écrivit alors au comte Mozinski, celui-là même auquel le brutal Bissinski taillada le visage ; ce seigneur était toujours auprès du Roi. Il lui mandait qu'il ne pouvait obéir à l'ordre souverain parce qu'il avait beaucoup de dettes et qu'en honnête homme il devait songer à les payer avant de s'en aller.

Mozinski accourut immédiatement chez le Vénitien et lui demanda le montant de ses dettes. Il en reçut le détail par écrit, puis fit savoir au malheureux congédié que sa disgrâce était due à trois lettres anonymes écrites contre lui. Je ne saurais dire pour ma part lequel des deux personnages mérite une plus grande correction, si c'est le lâche qui envoie contre un honnête homme une lettre anonyme, ou bien l'insensé qui, en lui donnant créance, laisse le perfide qui l'a écrite atteindre son but. Les poisons, les poignards, les embûches occultes ne feraient jamais de mal à personne s'il ne se trouvait des gens qui, par leur concours, contribuent à propager le mal. L'auteur d'une lettre anonyme est, quand même, toujours un traître, même si cette lettre peut avoir un bon résultat.

Le généreux Mozinski porta lui-même au Vénitien, dans les vingt-quatre heures, mille sequins [33] et lui souhaita un bon voyage. Avec une partie de cette somme il paya tous ses créanciers et envoya les quittances à son généreux bienfaiteur, puis il partit pour Breslau, capitale de la Silésie où il profita, pendant une huitaine, de la savante conversation et de l'hospitalité de son compatriote, le docte abbé Bastiani [34] qui, au chapitre de la cathédrale, occupait une place distinguée et bénéficiait d'une riche prébende.

De Breslau, il passa à Dresde, et il se rendit à la foire de Leipzig, puis à Prague et à Vienne. Dans cette capitale il lui arriva une étrange aventure [35] qui, si celui qui la connaît dans tous ses détails devait la raconter, formerait, pour le châtiment des lecteurs, un volume de la grosseur du présent ouvrage. L'ambassadeur de Venise [36], qui, pour des égards politiques, ne crut pas devoir le recevoir au palais de l'ambassade, eut la bonté de le tirer de ce mauvais pas en laissant, volontairement, échapper deux mots en présence du prince de Kaunitz. Cet ambassadeur a toujours été un homme de grand cœur et, aujourd'hui il l'est encore davantage. L'implacable Schrottemback [37] reçut, cette fois, un démenti.

De Vienne, le Vénitien passa en Bavière, puis à Augsbourg où il avait conservé quelques relations particulières et où il s'arrêta jusqu'à ce qu'il eut appris que la princesse Lubomirska, née Czartoriska, devrait se trouver à Spa au mois d'août. Il s'achemina alors vers cette ville en s'arrêtant, toutefois, dans le Palatinat et dans le Wurtemberg à cause de différentes aventures. Il passa toute une journée à Cologne, sur la rive gauche du Rhin, pour terminer une affaire qu'il avait à cœur et qui, concernant son duel, ne peut être passée sous silence.

Pendant son séjour à Dresde, un mois après son départ de Varsovie, le Vénitien avait lu, dans la *Gazette de Cologne*, l'histoire de son expulsion de Pologne, racontée d'une certaine manière et avec des détails qui lui déplurent considérablement [38]. Toutes les gazettes réunies composent l'histoire du monde, et leurs lecteurs qui ignorent les particularités des faits (ils constituent la majorité) s'en tiennent, pour être renseignés, à ce qu'elles racontent. Les personnages qui y sont loués sont, pour eux, des héros. Ils méprisent ceux qu'on leur représente comme des intrigants et des fraudeurs, et, comme ils n'entendent pas l'autre son de cloche, ils ne se remémorent que les faits qu'ils supposent avoir été tirés de la vérité. Il n'y a donc pas lieu de s'étonner si le malheureux Vénitien fut indigné de se voir dépeint dans cette gazette sous des couleurs aussi fausses, et de penser que son nom passerait à la postérité avec cette réputation mensongère. Il ne se serait pas cru offensé si le folliculaire s'était borné à dire qu'un officier général, par ordre de son Roi, l'avait congédié de la Cour et non pas expulsé de Pologne ; mais il n'était pas exact de dire que la cause de tout cela était que le monarque fut informé de son vrai nom et de la fausseté des titres qu'il s'était attribués et sous le couvert desquels il avait représenté à la Cour un personnage tout différent de celui qu'il était en réalité. Le Vénitien retint par cœur ces outrageants mensonges avec l'intention bien arrêtée d'aller, quand cela lui conviendrait, détromper l'imprudent gazetier. Étant donc arrivé à Cologne vers la moitié du mois de juillet et un peu moins d'une année après son départ de la Cour de Varsovie, il se fit indiquer la maison de son panégyriste, le gazetier, et retourna ensuite à son hôtel où il fit atteler des chevaux à sa voiture ; puis il partit en prenant la route de Juliers qui conduit à Aix-la-Chapelle, mais aussitôt sorti de la ville, il fit arrêter sa voiture, donna l'ordre à son domestique de l'attendre et revint à pied à la ville où il alla faire visite à M. Jacquier, gazetier français, qui y avait son domicile.

Une fois dans la maison, une domestique lui indiqua la chambre où se trouvait, seul, Jacquier qui travaillait à sa gazette. Le Vénitien y entra brusquement, ferma la porte au verrou et en brandissant une grosse canne de la main droite il braqua sur le gazetier immobile et tremblant le pistolet qu'il tenait de la main gauche.

« Si tu fais du bruit, tu es un homme mort, lui dit le Vénitien ; écoute-moi et fais immédiatement ce que je vais te dire, je suis pressé, garde-toi bien de mentir, car tu paierais ton mensonge de ta vie. »

En prononçant ces paroles devant Jacquier qui ne bronchait pas, il lui présenta sa gazette et, lui montrant l'article de Varsovie, il lui enjoignit de le lui lire clairement.

Dès qu'il y eut jeté les yeux Jacquier voulut parler, mais le Vénitien, en levant sa canne lui dit : « Lis et ne parle plus que pour me dire la vérité si tu veux que je te fasse grâce de la vie. » Il lut tout l'article mais d'une voix tantôt curieusement tremblante, tantôt si langoureuse et si entrecoupée de soupirs que le bon Vénitien se sentit tout à coup saisi d'un sentiment de pitié et, en même temps, d'un fou rire tel qu'il dut faire un effort pour ne pas éclater. Quand il eut fini de lire, le Vénitien lui dit : « Indique-moi à quelles sources tu as puisé cette histoire, et sache que je suis l'homme que tu as diffamé dans cette gazette. »

Il se jeta à genoux et se traitant d'insensé il déclara qu'il avait tiré son article d'une lettre de Varsovie. « Si cette lettre, lui répliqua l'autre, ne se trouve pas, pour ton malheur, dans cette chambre, tu es un homme mort. » Et il lui mit le pistolet sur la poitrine.

« Oui, Monsieur, dit-il en se jettant à terre les bras ouverts, elle doit être dans cette chambre, et je m'engage à la trouver tout de suite. – Eh bien ! trouve-la. »

Il se releva, fit des recherches dans un tiroir, remua et déplaça un tas de paperasses tandis que le Vénitien restait à ses côtés ; tout d'un coup, il pâlit, se sentit mal à son aise et s'affaissa sur une chaise.

Le Vénitien se trouva alors dans un sérieux embarras et regretta presque sa brusquerie, mais il résista et attendit, sans dire un mot, que ce misérable eut recouvré ses sens. Quand il se remit, il finit par trouver la lettre ; le Vénitien la lut, ne reconnut ni le nom, ni l'écriture de son auteur ; il la mit dans sa poche et ordonna au gazetier d'écrire, sous sa dictée, un article qu'il s'engagea (et il tint parole) à insérer, tel quel, dans le premier numéro de sa gazette. Quand il eut terminé, il le lui fit recopier et garda l'original. Il lui ordonna ensuite de le suivre et ne lui permit même pas d'aller prendre son manteau qu'il avait dans une autre chambre et dont il avait besoin, car il pleuvait à verse.

Le Vénitien se fit ainsi accompagner jusqu'à sa chaise de poste et, après l'avoir prévenu de ne pas s'exposer à recevoir une seconde visite, il lui mit deux louis dans la main, et cet incident n'eut plus d'autres suites; le gazetier exécuta ponctuellement les ordres, mais le Vénitien n'était pas complètement satisfait, car il ne put jamais savoir quel pouvait être l'homme qui, sous un nom inconnu de tous, avait écrit contre lui toutes ces infamies.

Le gazetier méritait bien d'être bâtonné, ne fût-ce que pour avoir cru que la production de cette lettre suffirait à le justifier; mais le Vénitien n'a de l'audace que pour ruminer des projets de vengeance; il est faible et timide quand il s'agit de les mettre à exécution. Heureusement pour lui, il obéit toujours à un sentiment de pitié, sentiment héroïque, sans doute, mais il est vraiment dommage que, quand on y songe, on constate qu'il ne vient que d'une certaine faiblesse d'esprit.

Cet homme, aujourd'hui, est arrivé à ce point qu'il n'y a pas de malheur au monde qui puisse le troubler au-delà de quelques instants. Il se borne à dédaigner ceux qui le condamnent, à plaindre ceux qui se fient à leurs semblables, à mépriser les orgueilleux et à désirer rendre service à tous ceux qui lui ont fait du mal, vengeance sublime et héroïque si, toutefois, ce qui est à craindre, il n'y entre pas un peu d'orgueil. Les personnes qu'il estime, dans sa patrie, ne sont pas nombreuses, mais il a le plaisir de voir qu'elles sont douées de ce vrai mérite que l'œil du sage, seul, sait discerner. Il ne recherche que le suffrage de ces quelques gens de bien et, dégoûté du monde, qui ne lui donne plus aucune satisfaction, il attend la mort, sans la désirer et sans la craindre, ne cherchant qu'à vivre tranquille et bien portant. Parmi ses défauts, un des moindres n'est pas celui qu'il a de vouloir dire la vérité à certaines personnes trop infatuées d'elles-mêmes pour s'en sentir atteintes ou pour supporter que ces vérités leur soient dites par quelqu'un qu'ils considèrent comme leur subalterne.

Quand le Vénitien sera devenu bien sage, si toutefois il en a le loisir, satisfait de ce qu'il sait et toujours disposé à apprendre de qui a plus d'expérience que lui, il laissera croire tout ce qu'on voudra sur son compte et ne forcera personne à abandonner les fausses idées et les fausses nouvelles dans lesquelles on se complaît à son égard. Les hommes sont ainsi faits qu'ils ne peuvent se décider à apprendre quoi que ce soit de ceux qui veulent le leur enseigner par force, et les uns ont aussi bien raison que les autres ont tort.

Mais il est temps d'achever cette histoire. Le Vénitien alla à Spa, puis à Paris, où il s'arrêta trois mois pour convaincre le Roi de Pologne de la fausseté des lettres anonymes qu'il avait reçues. De Paris, il se rendit en Espagne où il eut les plus tristes mésaventures et où il courut les plus grands dangers, pour des faits qui, s'il avait été sage, ne se seraient pas produits. Toutefois, il surmonta constamment toutes ces épreuves et il quitta l'Espagne pour traverser le Languedoc, la Provence et le Piémont. Il écrivit alors la réfutation d'une mauvaise histoire[39] dans un pays d'où il ne serait pas sorti si un ministre d'État ne l'avait secoué en réveillant en lui l'ambition de prendre part à l'expédition maritime que les Russes préparaient contre les Turcs. À cet effet, il se rendit à Livourne, où le comte

Alexis Orloff [40], qui commandait l'expédition, ne voulut pas l'arrêter aux conditions qu'il demandait. Il alla alors à Naples et de là à Rome, où il séjourna une année entière. Il se rendit ensuite à Florence, mais au bout de six mois, il dut en partir par ordre souverain et pour des motifs qui avaient paru, sans aucun doute, légitimes aux yeux de celui qui prit l'arrêté d'expulsion [41], mais que le Vénitien ne fut pas jugé digne de connaître, ni même d'imaginer.

Ayant laissé la Toscane, il alla à Bologne où il séjourna neuf mois, puis à Ancône, pour traverser l'Adriatique. Il resta deux années à Trieste et vers la fin de 1774, grâce à la clémence souveraine, il fit retour dans sa patrie où, s'il en est digne, il espère pouvoir trouver facilement des moyens d'existence.

Que cet épisode de l'histoire de la vie du Vénitien suffise à détromper ceux qui désirent qu'il l'écrive tout entière. Qu'ils sachent bien que, s'il se décide jamais à les satisfaire, il ne saurait l'écrire autrement que de la manière dont le présent récit leur offre un échantillon. Aperçus, réflexions, digressions, menus faits, observations critiques, dialogues et soliloques, il leur faudra tout supporter d'une plume qui n'a et ne veut avoir aucun frein, car elle est sûre de ne dire que la pure vérité, de ne jamais blesser les convenances sociales, de ne pas faire suspecter ses sentiments de sujet fidèle et, enfin, de ne laisser planer aucun doute sur la sincérité de ses devoirs de bon chrétien.

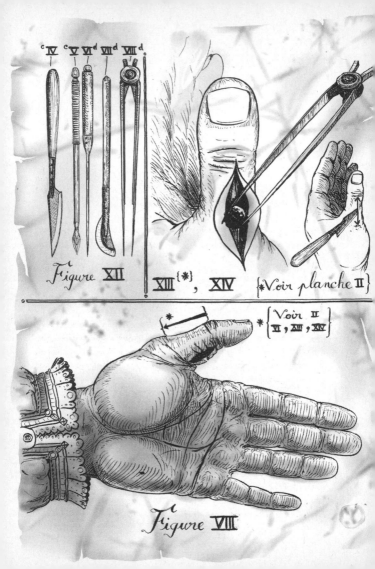

Figure XII

XIII {*}, XIV {Voir planche II}

* {Voir II VI, XIII, XIV}

Figure VIII

Notes

1. Maîtrise ta passion (la colère) : si elle n'obéit pas, elle commande. Impose-lui un frein, enchaîne-la (HORACE, Ép. L. *I*, 2 vers 62, 63).
2. Né le 2 avril 1725, emprisonné le 26 juillet 1755, Casanova avait à ce moment trente ans et quelques mois. Il s'évada le 1er novembre 1756, à l'âge de trente et un ans et sept mois.
3. Les premières pages de *Il Duello* sont un résumé rapide des événements exposés dans les *Mémoires*. Mais le récit du duel fut écrit en 1780, par conséquent quelque dix ou douze ans avant les *Mémoires*.
4. Casanova se rendit de Paris à Dresde en août 1752 (ou 1753 – la chronologie est quelque peu brouillée pour cette période des *Mémoires*). Il y fit jouer une parodie des *Frères ennemis* de Racine. Il avait déjà l'année précédente, sur le désir exprimé par l'ambassadeur de l'Électeur de Saxe, écrit une adaptation en italien du *Zoroastre* de Cahusac, qui fut représentée au théâtre de Dresde (voir *Mémoires*). Voir la *Bibliographie des œuvres de Casanova*, par Joseph Pollio : *Bulletin du Bibliophile*, 1er janvier 1924, pages 24 et suivantes).
5. Voir *Mémoires*. L'ordre de l'Éperon d'or, créé en mars 1559 par le pape Pie IV, dans le dessein de récompenser les personnes qui se distinguaient dans les sciences, les arts et les armes, fut plusieurs fois confirmé par les successeurs de Pie IV, et notamment par Grégoire XIII, Sixte V et Benoît XIV. Mais avec le temps plusieurs familles princières de Rome, des dignitaires de l'État,

nonces, légats, s'étant arrogé le privilège d'en conférer les insignes, il fut accordé sans réserve et perdit la considération dont il avait si longtemps été entouré. Aussi le pape Grégoire XVI le remplaça-t-il, le 30 octobre 1841, par l'Ordre de saint Sylvestre ou de l'Éperon d'or réformé. – Ruban rouge. – Devise : *Praemium virtuti et pietati.* (H. Gourdon de Genouillac. *Nouveau Dictionnaire des ordres de Chevalerie*, Paris, 1892, page 115).

6. Le nom des convives se trouve dans les *Mémoires*.

7. Les *Mémoires* sont plus prolixes sur le séjour de Casanova à Varsovie avant le duel lui-même.

Le prince Adam Casimir Czartoryski, né à Dantzig le 1er décembre 1731, fut toujours au premier rang de ceux qui luttaient pour l'indépendance de la Pologne, bien qu'il eût été vainement candidat à la couronne. Il mourut à Sieniawa le 19 mars 1823. Il avait épousé Isabelle-Fortunée, fille du comte Flemming, de douze ans plus jeune que lui, et dont le duc de Lauzun parle longuement dans ses *Mémoires* ; elle eut d'ailleurs une grande influence sur sa vie. *(Mémoires du duc de Lauzun*, Éditions Paris, 1858, pages 120 et suiv.).

En 1768 Bodissoni, correspondant avec Casanova, lui transmettait toujours les bons souvenirs de S.A. le Prince Palatin de Russie et du prince Adam Czartoryski.

8. Il s'agit d'Anna Binetti, une des plus remarquables danseuses vénitiennes du XVIIIe siècle. Elle était née Ramon, mais elle avait épousé un danseur français, Binet, qui prit le nom de Binetti. Elle eut à Varsovie une aventure conjugale dont Casanova parle, et qui fit l'objet d'une correspondance entre Mme Geoffrin et le roi Stanislas-Auguste Poniatowski. Au dire de Mme Geoffrin, Binetti se plaignait qu'on l'eût renvoyé sans le payer et en gardant sa femme et son enfant. Le roi lui répondit : « Binetti est un fou noir qui se plaint à tort ; il a été plus que payé de ce qu'on lui devait, et il a été fort aise d'avoir de l'argent pour quitter cette chère épouse qu'il n'aimait point du tout et dont, au reste, je ne

me soucie point, moi, personnellement. » *(Correspondance inédite du roi Stanislas Auguste Poniatowski et de Mme Geoffrin*, Paris, 1875, pages 245 et 253).

9. Ce Branicki (il semble que ce soit là l'orthographe exacte) n'appartenait pas à la célèbre famille des Branicki, dont le dernier descendant, Jean-Clément Branicki, grand général de la couronne et castellan de Cracovie, mourut en 1771. C'est d'ailleurs ce que constate Casanova lui-même dans ses *Mémoires*. François-Xavier Branicki, qui appartenait à la famille des Korczek, prit arbitrairement le nom de Branicki : il jouissait de la confiance entière et de l'amitié du roi Stanislas-Auguste avec qui il avait vécu ses jeunes années, et à qui il avait rendu quelques services en des circonstances délicates. Il avait épousé la nièce de Potemkine ; et il soutenait en Pologne, beaucoup trop ouvertement, le parti russe. Il était d'ailleurs fort antipathique aux Polonais. « Il joignait à tous les vices, dit Rulhière, la valeur la plus téméraire. On l'avait vu, dans une surprise à l'armée française, charger les ennemis une houssine à la main. » Il mourut en 1819 à Bielocieskiew (Ukraine) (Voir J. Barthold – *Die geschichtlichen Personlichkeiten in Jacob Casanova's Memorien*. Berlin, 1846, tome II, page 268 et suivantes) Casanova dut rester en relation avec lui puisque, le 12 août 1782, il lui dédiait son regrettable pamphlet *Ne amori ne donne ovvero la stalla ripulita*.

10. Casanova, dans les *Mémoires*, la nomme : Catai, danseuse milanaise. Catherine Catai faisait partie, dès 1760, de la troupe du théâtre San Angelo à Venise. Elle venait de Prague lorsqu'elle arriva à Varsovie, où elle devint la maîtresse du roi. Tomatis, joueur de profession, puis occasionnellement directeur de théâtre, l'épousa, ce qui lui valut le titre de comte et les fonctions de « directeur des plaisirs » de la Cour. Casanova, mal renseigné peut-être, ou bien discret à dessein, écrit que la Catai « faisait les délices de la ville et de la Cour » ; il ajoute même, d'après l'édition Schütz (tome X, page 137) : « Tomatis était

cependant son seul amant. » Assez fréquemment, des commentateurs de Casanova ont cru que la Catai et la Casacci (voir note 12) étaient une seule et même danseuse. Or le mémorialiste distingue très nettement les trois Italiennes qui dansaient alors à Varsovie : Binetti, vénitienne, Catai, milanaise, Casacci, piémontaise. La Catai ne fut pas directement mêlée à l'épisode du duel : son nom est rappelé parce qu'elle fut la maîtresse, puis la femme de Tomatis, que Xavier Branicki traita fort grossièrement à cause d'elle.

11. Casanova conte dans ses *Mémoires* la scène à laquelle il fait ici simplement allusion. Branicki avait fait souffleter publiquement, au sortir de l'Opéra, Tomatis qui voulait l'empêcher de monter dans sa propre voiture avec la Catai ; et l'offensé avait bonnement digéré l'affront. Casanova ajoutait, au texte que nous connaissons, la réflexion suivante, rapportée dans l'édition Schütz (tome X, page 165) : « Toute la faute, à mon avis, retombait sur la Catai, qui n'aurait pas dû se laisser emmener par un autre dans la voiture. »

12. Casanova, dans les *Mémoires*, la nomme, plus exactement, la Casacci, piémontaise. Teresa Casacci, originaire de Turin, avait, elle aussi, dansé à Venise : elle est citée parmi les artistes qui se trouvaient à Venise pendant le carnaval de 1762. Dans une lettre inédite adressée, le 25 février 1791, à Casanova par son ami le comte Maximilien Lamberg (*Archives de Dux*), nous lisons ces lignes étranges à propos de la dissertation d'un Arcadien sur le « sexe des âmes » : « S'il soutient que l'âme a son pucelage, comme Mlle Casacci en avait deux, nouveau Narcisse, je l'engagerai à dévirginiser la sienne. »

13. Dans ses *Mémoires*, Casanova le nomme Bininski. Il ne faut pas oublier que l'orthographe des noms propres est souvent défectueuse sous la plume de Casanova. G. Gugitz remarque que le *Wiener Diarium* écrivait Biszewski. À la date du 21 janvier 1767, on lit dans ce journal : « Varsovie, 25 décembre 1766. – M. Biszewski, qui s'était signalé dans la fameuse affaire de

Casanova, fut acquitté, et tout ce qu'on avait publié sur lui, dans le jugement du maréchal de la Couronne, fut tenu pour nul. » (Voir G. Gugitz, *Giacomo Casanova und sein Lebensroman*, Vienne, 1921, page 107).

14. Dans l'édition de *Mémoires* de Wilhelm von Schütz, (tome X, page 147), on lit : le chambellan Pernigoti.

15. Casanova conserva des relations avec le prince Lubomirski puisqu'on a retrouvé à Dux le brouillon d'une lettre qu'il lui adressait de Bologne le 14 juin 1772, et dans laquelle il disait : « J'espère, Monseigneur, que les troubles qui agitèrent la Pologne s'acheminent à leur fin, et par là je me flatte que, par votre intercession, la grâce me sera accordée que je puisse retourner me mettre à vos pieds. » Et plus loin : « Je ne désire autre chose que me rendre en Pologne et finir ma vie à la campagne en vous servant, vous Monseigneur, Madame la Princesse votre épouse, Monsieur le Prince Palatin de Russie... »

16. Le texte de ce billet se retrouve, à peu près textuellement, dans une note rédigée par Casanova le 13 mars 1766, huit jours après le duel, et que nous publions à la suite de ces notes.

17. Ce billet a été retrouvé à Dux. Le texte reproduit dans la note de Casanova n'est pas rigoureusement semblable.

18. Le texte de ce billet n'est pas rigoureusement semblable à celui qui figure dans la note de Casanova ; mais le sens est absolument le même.

19. Le texte des deux derniers billets n'est pas absolument le même que celui de la note de Casanova ; mais, de même que pour le précédent, le sens ne varie pas.

20. Campioni, qui s'appelait Antonio, était un des danseurs renommés du XVIIIᵉ siècle. Il avait épousé la belle Ancilla, sur laquelle le président de Brosses ne tarit pas d'éloges, tout en reconnaissant que si « les contes de fées n'ont jamais rien fait de si beau que cette figure, les serpents n'ont jamais rien eu de si bête parmi eux ». (*Lettres familières*, Paris, 1885, tome I, page 197 ; tome II, page 410).

21. Ces deux convives ne sont dénommés que dans le texte de l'édition Schütz (tome X, page 184) : c'étaient les deux comtes Misischek (exactement Minszech).

22. « Les plus douces saveurs se tournent en bile, et la pituite, qui vous torture lentement, secoue tumultueusement l'estomac. Voyez donc cet homme pâle se lever d'un festin douteux : son corps reste lourd, sous le poids des excès qu'il a commis la veille, son âme est accablée, rampe bassement, cette âme qui est une parcelle de l'intelligence divine. » (HORACE, *Sat.*, II, 2, 75 et suivantes). En préconisant ces excellents préceptes d'hygiène alimentaire, que d'ailleurs il ne pratiquait guère, Casanova se rappelait peut-être le traité, *de vita sobria*, de son compatriote Luigi Cornaro, qui mourut centenaire pour les avoir, lui, très scrupuleusement observés (Joseph Pollio).

23. Dans ses *Mémoires*, Casanova le désigne sous le titre de lieutenant général. Dans une lettre de l'abbé Taruffi à Albergati, que nous publions à la suite de ces notes, nous apprenons qu'il s'agit du général Czaspski. Enfin le « *Silva rerum* », extrait d'un journal de Varsovie, que nous publions également, le désigne ainsi : le sieur Czaspski, châtelain de Culm, aide de camp de Sa Majesté. M. Gugitz nous informe que Czapski était voïvode de Marienbourg, chevalier de l'Aigle blanc.

24. Coïncidence curieuse ! Huit ans plus tard, le même Branicki faillit avoir, à Vola, un duel avec le duc de Lauzun, à cause d'une femme, comme il convient. Le duc lui-même a conté le fait. En 1774 le duc de Lauzun, se trouvant à Varsovie, était l'amant de Mme Czartoryska, dont M. Braneçki (*sic*), « Grand Général de la couronne », était amoureux. On avertit le duc qu'il avait « tout à craindre de la foule de coupe-jarrets dont il (cet officier) était sans cesse entouré. » Un soir « au bal masqué de l'Opéra, M. Braneçki eut l'air de vouloir me chercher querelle. – Finissons ceci, M. le Grand-Général, lui dis-je ; cinq minutes d'entretien à Vola suffiront. Le moyen sera beaucoup plus digne de vous et de moi qu'une dispute au bal. Il accepta,

et nous nous donnâmes rendez-vous pour le lendemain à huit heures du matin. » Le roi, ayant été avisé de la querelle, eut une longue conversation avec M. Braneçki, lequel se rendit chez Lauzun avec une suite assez nombreuse pour lui dire qu'il désavouait publiquement tous les propos dont le duc avait pu être offensé, et qu'il lui demandait son amitié (*Mémoires du duc de Lauzun*, Éditions Poulet-Malassis, Paris, 1858, pages 194 et suivantes).

25. Le prince Stanislas Lubomirski (1704-1793) avait épousé en 1752 la princesse Élisabeth Czartoryska (1736-1816), cousine du roi Stanislas-Auguste.

26. Dans ses *Mémoires*, Casanova orthographie son nom Moszcinski. Il s'appelait exactement Antoine Moszczynski, bien qu'il signât ses lettres A. Moszynski. Il était le beau-fils du roi Auguste. Trésorier à la Cour de Pologne, il avait dû lier avec Casanova d'assez étroites relations puisqu'on a retrouvé à Dux quelques lettres de lui écrites sur un ton amical. Ainsi écrivait-il, sans situer ni dater sa lettre, mais certainement de Varsovie, et peu de jours après le duel : « Mon pauvre ami, nous voici tous deux confinés dans une chambre, vous pour vous être battu en galant homme, et moi pour n'avoir pas cassé le col à un assassin lorsque je le pouvais. Cependant mes blessures sont peu de chose, et dès qu'elles me permettront de sortir, je vous irai voir. Si en attendant vous avez besoin de quelque chose, ordonnez de votre serviteur. – A. Moszynski. » (*Archives de Dux*).

27. Théodore Czartoriski, frère du palatin de Russie, né en 1709, était évêque de Posen depuis le 19 décembre 1758. Il mourut en 1768. *(Note de G. Gugitz.)*

28. Le prince Michel Casimir Oginski, que Casanova, dans ses *Mémoires*, désigne sous le titre de « Palatin de Vilna », était né à Varsovie en 1734. Il avait la réputation d'un mécène pour les artistes. Dans un autre ordre d'idées c'est lui qui fit creuser en 1776 le canal d'Oginsky qui, joignant les deux rivières, la Sczara et la Jasiolda, ouvrait une communication de la mer Bal-

tique à la mer Noire, et facilitait le commerce dans l'intérieur du pays. Le château de Slonim, qu'il habitait et où il vivait en prince souverain, était le lieu de réunion des plus grands noms du pays et des artistes étrangers les plus distingués. Il y mourut le 3 mai 1799. C'est chez son épouse, « la Grande-Générale Oginska, née princesse Alexandrine Czartoryska, que lé duc de Lauzun rencontra la jeune comtesse Potocka Tlomacka, fort coquette, qui sut rendre jalouse la princesse Czartoryska, très éprise du duc ».

29. Dans ses *Mémoires*, Casanova ajoute quelques détails sur ce personnage, qu'il déclare, à tort semble-t-il, être le frère de la comtesse Salmour. Le comte François Bielinski, né en 1683, avait en 1766 quatre-vingt-trois ans et non dix-huit lustres, comme dit Casanova. « Souverain administrateur de la justice en Pologne », il réorganisa particulièrement la police à Varsovie et dans tout le royaume. Il mourut en 1766.

30. « En s'évadant l'homme s'apprête encore à combattre. » Casanova reprit ces quatre mots latins pour les mettre en exergue à l'*Histoire de ma fuite* publiée en 1788, en les attribuant à Horace. Mais on ne les trouve pas dans les œuvres du poète latin que Casanova se flattait de savoir par cœur. En revanche, à la page 8 de *Lana Caprina*, que notre Vénitien publia à Bologne en 1772, il écrit que l'auteur de *Di geniali della Dialettica delle donne ridotta al suo vero principio*, dont il combat les assertions, avait inscrit, en frontispice de son ouvrage, cette devise : *Vir fugiens* et *denuo pugnabit* (la conjonction *et* est supprimée dans *Il Duello* et dans l'*Histoire de ma fuite*). Voir l'édition de ce dernier ouvrage publiée par Charles Samaran, (1922, *Collection des chefs-d'œuvre méconnus*, note I, page 275.

31. « Espères-tu apaiser l'envie en abandonnant la vertu ? Tu seras méprisé, malheureux. Évite la paresse, cette perverse Sirène. » (Horace, *Sat. II. 3, vers 13-15*).

32. Le 30 août 1766, le *Wiener Diarium* rapporte : « La guérison des blessures du comte Branicki est en si bonne voie que l'on

peut espérer voir ce Monsieur complètement rétabli avant peu. »(*Note de G. Gugitz*).

33. On a retrouvé au château de Dux un billet de Mozinski ainsi conçu : « Pour Monsieur de Casanova. – Vous êtes un homme de parole, je vous ai connu tel, puisse un meilleur sort vous attendre dans les pays que vous allez habiter, et souvenez-vous que vous avez en moi un ami. A. Moszynski. »

Sur le billet même, Casanova avait tracé les lignes suivantes ;

« Ayant reçu mille ducats du roi de Pologne lorsqu'il m'ordonna de quitter Varsovie trois mois après mon duel, j'ai envoyé à son ministre les quittances de tous mes créanciers. Il m'écrivit cette lettre, et je suis parti le même jour avec le comte Clari, 8 juin 1766. » *(Archives de Dux)*

34. Casanova nous donne, dans ses *Mémoires* quelques détails sur le « docte abbé » aux mœurs faciles, qui, après une existence quelque peu aventureuse, réussit à gagner la confiance du roi de Prusse, lequel avait fait sa fortune. L'abbé mourut à Breslau en 1787.

Ses relations, dans cette ville, avec Casanova sont attestées par une lettre de Bastiani retrouvée à Dux : « Quelque séduisante que soit la partie que vous me proposez si galamment, je ne suis pas à même d'en profiter en l'acceptant. Une Castellanne polonaise m'a demandé la soupe pour demain, en me faisant dire : Padrona. Vous la prendrez avec, s'il vous plaît, puisque vous si gentil *(sic)* de rester encore demain ici.

Je sens avec la plus vive gratitude votre officieuse complaisance. Si la Fortune me riait, je vous la présenterais par le côté le plus brillant pour vous engager à partager avec moi ses faveurs ; mais elle ne me sourit que quand je circonscris mes désirs dans la petite enceinte de mon hermitage où je me borne à végéter.

À revoir. *Cura ut valeas mutuoque ames.*

Votre très humble et obéissant serviteur.

L'Abbé Bastiani.

à 9 heures du matin du 19 juillet. »

35. Le récit de cette aventure, qui n'occupe que quelques pages, se trouve dans les *Mémoires*.

36. C'était, depuis 1765, Polo Renier, qui fut ambassadeur à Vienne jusqu'en 1768.

37. Schrattenbach (tel était son véritable nom) fut de 1759 à 1770 Statthalter de l'Autriche inférieure ; ce titre lui conférant les pouvoirs policiers les plus étendus, il était fort redouté. Il semble bien que Casanova reçut notification de son expulsion de Vienne le 23 janvier 1767 ; il devait être parti le 25. Mais d'après une lettre de Casanova, datée du 25 janvier (1767 ?) et adressée sans doute au prince Wenzel de Kaunitz, qui devait devenir dans la suite un protecteur puissant du peintre François Casanova, frère de notre héros, – l'expulsé aurait obtenu une prolongation de séjour grâce à l'intervention du prince. Giacomo lui écrit :

« À dix heures du matin, ce 25 janvier,

Monseigneur

Deux secrétaires de la Police sont venus me dire de la part de S. E. Monsieur le comte de Schrottenbach qu'il m'est permis de demeurer à Vienne encore trois ou quatre jours, mais que je devais garder ma maison et n'en sortir que pour aller à la messe… Rien ne m'a tant pénétré que la vivacité avec laquelle Votre Excellence mit devant moi l'égide du Ministère, et la rapidité avec laquelle, dans le court espace de huit heures, vous avez conduit au bout victorieux l'affaire dont vous avez pris fait et cause… » *(Archives de Dux)*.

38. Nous retrouvons ce récit dans les *Mémoires* ; où le gazetier est appelé Jacquet, et non Jacquier. Une version un peu différente est fournie par Casanova dans des pages inédites encore portant pour titre : *Confutation de deux articles diffamatoires publiés dans les gazettes littéraires allemandes de Iéna* (à propos de *L'Histoire de ma Fuite* et de *L'Icosaméron*).

« Il y a vingt-quatre ans qu'étant à Breslau, je me suis trouvé sur la *Gazette de Cologne*. L'article disait que le roi de Pologne m'avait chassé de Varsovie parce que j'avais appelé en duel le comte Branicki, alors Grand-Panetier de la Couronne, et aujourd'hui Grand-Général ; l'aimable gazetier disait que j'avais surpris ce seigneur en me donnant la qualité de noble Vénitien, car sans cela il ne m'aurait pas admis à l'honneur de recevoir de lui le coup de pistolet qu'effectivement il me lâcha dans le jardin du comte Brühl à Vola. Cette calomnie gazetière me déplut, et quelques mois après je me suis donné la peine d'aller à Cologne. Je fus chez lui avec des mauvaises intentions en laissant à sa porte ma chaise de poste. Je l'ai trouvé seul, attentif à écrire sa gazette. Une certaine action que j'ai faite en fermant sa porte déconcerta un peu ce pauvre gazetier, mais je l'ai rassuré en lui narrant de sang-froid la raison de ma visite. "Vous m'avez déshonoré, lui dis-je, par une calomnie." Il m'a dit qu'il l'avait reçue de Varsovie, et il me dit le nom du calomniateur en me promettant de se dédire avec un air si honnête qu'en sortant de son cabinet je lui ai donné une petite marque d'amitié. Cet honnête gazetier tint sa parole ; il s'appelait Jacquier, et il vit peut-être encore. » (*Archives de Dux*).

Or, M. Gustav Gugitz, l'érudit historien viennois, déclare avoir parcouru les numéros de 1766 et de 1767 de la *Gazette de Cologne*, et avoir trouvé seulement l'avis suivant dans le n° 66 de 1766 : « De Varsovie, le 30 juillet. – Le sieur de Casa-Nuova, assez connu dans les feuilles, ayant voulu reparaître ici ces jours derniers, la Cour lui a ordonné d'en sortir au plus tôt. » D'autre part, M. Gugitz affirme que l'éditeur de la *Gazette de Cologne*, depuis 1756, s'appelait Gaspard Antoine Jacquemotte, mais qu'il était mort en 1765 ; en 1767, le journal était sous la direction de sa veuve. Dans les trois versions de l'incident, Casanova aurait donc effrontément menti ! (G. Gugitz, *Casanova und sein Lebensroman*, pages 280 et suivantes).

39. Dans ses *Mémoires*, Casanova prétend avoir écrit cet ouvrage – *Confutazione della storia del governo veneto d'Amelot de La Houssaie* – lors de son incarcération à la citadelle de Barcelone

qui eut lieu le 16 novembre 1768 et dura quarante-deux jours. Or, d'après un brouillon de lettre trouvé à Dux et écrit à Madrid fin juillet 1768, destiné sans doute à Dandolo ou à Girolamo Zulian, la *Confutazione* était terminée six mois auparavant. Casanova écrit en effet : « On vint à parler d'un de mes opuscules que j'intitule *Confutazione della storia del governo veneto d'Amelot de La Houssaie*, que je voudrais donner à l'imprimerie, et l'excellentissime Querini m'ayant dit qu'il désirerait le voir, je lui ai répondu que je le mettrais à ses pieds. » (*Archives de Dux*). La *Confutazione*, imprimée à Lugano, chez le docteur Agnelli, fut publiée en 1769, avec l'indication à dessein erronée : « Amsterdam, presso Pietro Mortier. » (Voir Joseph Pollio, *Bibliographie des œuvres de Casanova*, dans le *Bulletin du Bibliophile*, 1er février 1924, pages 75 et suivantes).

40. Casanova rappelle ce fait dans ses *Mémoires*. Il en faisait part aussi au prince Lubomirski dans une lettre qu'il lui adressait de Bologne le 14 juin 1772 : « J'ai passé l'hiver à Turin, écrivait-il, et je me suis rendu à Livourne dans le printemps de l'année 1770 avec une lettre de recommandation du ministre d'Angleterre à M. Alexis Orlow. Ne sachant plus comment faire à vivre, il m'était venu dans l'esprit d'aller faire la guerre au Grand Turc, et avec ce dessein je suis allé m'offrir à M. Orlow pour le servir en qualité de secrétaire de l'expédition : je sais la langue grecque que l'on parle dans les îles de l'Archipel, je connais tous ces pays, et j'aurais pu le servir peut-être utilement dans une descente à laquelle, quoique secrétaire, je ne me serais pas refusé, et peut-être qu'avec moi il lui serait réussi de passer les Dardanelles ; mais point du tout, il s'est trouvé là M. Dall'Oglio, qui se dit ministre du roi de Pologne, et qui se fait donner, plus qu'il peut, l'Excellence, avec un autre original qui s'appelle le marquis Maruzzi et qui se croit tout de bon ministre en second rang de l'impératrice Catherine, qui dirent tant de mal de moi au général Orlow que ce Monsieur me dit net qu'il n'avait que faire de moi. J'ai vu alors que son entreprise

n'aboutirait à rien, et en plaignant les Russes qui allaient au Levant, et beaucoup plus ceux qui les accompagnaient, je suis allé à Naples pour chercher fortune, mais en vain. » (*Archives de Dux*).

41. Casanova fut expulsé de Florence et de la Toscane le 28 décembre 1771. Il était impliqué dans une escroquerie commise par le pseudo-comte Zannovitch, Alvise Zen et Tommaso Medin, au détriment d'un jeune Anglais de dix-neuf ans, milord Lincoln. Casanova protesta de son innocence et, du reste, il ne laissa pas passer une occasion d'exprimer son mépris pour Zannovitch (Voir Joseph Pollio, *Bibliographie des œuvres de Casanova*, dans le *Bulletin du Bibliophile*, 1er janvier 1925, page 37).

Précis de ma vie

Ce texte, rédigé en novembre 1797 pour répondre à la curiosité de Cécile de Roggendorf, est probablement l'un des derniers que Casanova ait écrits.

Ma mère me mit au monde à Venise, le 2 d'avril, jour de Pâques de l'an 1725. Elle eut la veille une grosse envie d'écrevisse. Je les aime beaucoup.

Au baptême on m'a nommé Jacques Jérôme. Je fus imbécile jusqu'à huit ans et demi. Après une hémorragie de trois mois on m'a envoyé à Padoue, où guéri de l'imbécillité je me suis adonné à l'étude, et à l'âge de seize ans on m'a fait docteur, et on m'a donné l'habit de prêtre pour aller faire ma fortune à Rome.

À Rome la fille de mon maître de langue française fut la cause que le cardinal Acquaviva mon patron me donna congé.

Âgé de dix-huit ans je suis entré dans le militaire au service de ma patrie, et je suis allé à Constantinople. Deux ans après, étant retourné à Venise, j'ai quitté le métier de l'honneur, et prenant le mors aux dents j'ai embrassé le vil métier de joueur de violon; j'ai fait horreur à mes amis; mais cela n'a pas duré longtemps. À l'âge de vingt et un ans, un des premiers seigneurs de Venise m'adopta pour fils, et étant assez riche je suis allé voir l'Italie, la France, l'Allemagne et Vienne où j'ai connu le comte Roggendorf. Je suis retourné à Venise où deux ans après les inquisiteurs d'état vénitiens par raisons justes et sages me firent enfermer *sous les plombs*.

C'est une prison d'état d'où personne n'a jamais pu se sauver; mais moi, avec l'aide de Dieu, j'ai pris la fuite au bout de quinze mois, et je suis allé à Paris.

En deux ans j'y ai fait de si bonnes affaires que je suis devenu riche d'un million; mais j'y ai fait tout de même banqueroute. Je suis allé faire de l'argent en Hollande, puis je suis allé essuyer des malheurs à Stuttgard, puis des bonheurs en Suisse, puis chez M. de Voltaire, puis des aventures à Marseille, à Gênes, à Florence et à Rome où le pape Rezzonico vénitien me fit chevalier de S.F. Lateran, et protonotaire apostolique. Ce fut l'an 1760.

Bonne fortune à Naples dans la même année. À Florence j'ai enlevé une fille, et l'année suivante je suis allé au congrès d'Augsbourg chargé d'une commission du roi de Portugal. Le congrès ne s'y tint pas, et après la publication de la paix je suis passé en Angleterre d'où un grand malheur me fit sortir l'année suivante 1764. J'ai évité la potence, qui cependant ne m'aurait pas déshonoré. On ne m'aurait que pendu. Dans cette même année, j'ai cherché en vain fortune à Berlin et à Pétersbourg ; mais je l'ai trouvée à Varsovie dans l'année suivante. Neuf mois après je l'ai perdue pour m'être battu en duel avec le général Braniski au pistolet. Je lui ai percé le ventre, mais en trois mois il guérit, et j'en fus bien aise. C'est un brave homme.

Obligé de quitter la Pologne, je suis allé à Paris l'an 1767, où une lettre de cachet m'a fait décamper, et aller en Espagne où j'ai eu des grands malheurs. À la fin de l'an 1768, on m'enferma dans le fond de la tour de la citadelle de Barcelone d'où je suis sorti au bout de six semaines et exilé d'Espagne. Mon crime fut mes visites nocturnes à la maîtresse du vice-roi, grande scélérate. Aux confins d'Espagne j'ai échappé aux sicaires, et je suis allé faire une maladie à Aix-en-Provence, qui me mit au bord du tombeau après dix-huit jours de crachement de sang.

L'an 1769, j'ai publié en Suisse ma défense du gouvernement de Venise en trois gros volumes contre Amelot de La Houssaye. L'année suivante, le ministre d'Angleterre à la cour de Turin m'envoya à Livourne bien recommandé. Je voulais aller à Constantinople avec la flotte russe, mais l'amiral Orlow ne m'ayant pas accordé les conditions que je voulais, j'ai rebroussé chemin, et je suis allé à Rome, sous le pontificat de Ganganelli.

Un amour heureux me fit quitter Rome pour aller à Naples, et trois mois après un autre amour malheureux me fit retourner à Rome. Je me suis battu pour la troisième fois à l'épée avec le comte Medini, qui mourut il y a quatre ans à Londres en prison pour dettes.

Ayant beaucoup d'argent, je suis allé à Florence, où le jour de la fête de Noël l'archiduc Leopold, mort empereur il y a quatre ou cinq ans, m'exila de ses états sous trois jours. J'avais une maîtresse qui par mon conseil devint marquise de *** à Bologne.

Las de courir l'Europe je me suis déterminé à solliciter ma grâce auprès des inquisiteurs d'État vénitiens. Par cette raison je suis allé m'établir à Trieste, où deux ans après je l'ai obtenue. Ce fut le 14 septembre de 1774. Mon entrée à Venise au bout de dix-neuf ans me fit jouir du plus beau moment de ma vie.

L'an 1782, je me suis brouillé avec tout le corps de la noblesse vénitienne. Au commencement de 1783 j'ai quitté volontairement l'ingrate patrie et je suis allé à Vienne. Six mois après je suis allé à Paris avec intention de m'y établir, mais mon frère, qui y demeurait depuis vingt-six ans, me fit oublier mes intérêts pour les siens. Je l'ai délivré des mains de sa femme, et je l'ai mené à Vienne où le prince Kaunitz sut l'engager à s'y établir. Il y est encore, moins vieux que moi de deux ans.

Je me suis placé au service de M. Foscarini, ambassadeur de Venise, pour lui écrire la dépêche. Deux ans après il mourut entre mes bras, tué par la goutte qui lui monta à la poitrine. J'ai alors pris le parti d'aller à Berlin, espérant une place à l'Académie ; mais à moitié chemin le comte de Waldstein m'arrêta à Toeplitz, et me conduisit à Dux, où je suis encore, et où selon l'apparence je mourrai.

C'est le seul précis de ma vie que j'ai écrit, et je permets qu'on en fasse tel usage qu'on voudra.

Non erubesco evangelium.

Ce 17 novembre 1797.
JACQUES CASANOVA

Les Défis de Casanova

Le prince de Ligne trace de Casanova, qu'il appelle *Aventuros*, ce portrait : « Au milieu des plus grands désordres de la jeunesse la plus orageuse et de la carrière des aventures, quelquefois un peu équivoques, il a montré de l'honneur, de la délicatesse et du courage. Il est fier, parce qu'il n'est rien et qu'il n'a rien. » Le prince, même s'il trouve qu'une telle fierté, hypersensible, pointilleuse, confine à la susceptibilité, admire ce trait de la personnalité fougueuse, tumultueuse, facilement scandaleuse, décidément batailleuse de son vieil ami. Car lui qui, héritier d'un grand nom et d'immenses domaines, était par sa naissance destiné à avoir *tout* – les plaisirs et la gloire, la faveur des rois et des reines (il était un intime de Marie-Antoinette et de Catherine II de Russie), les délices de son château de Belœil, les fêtes de Trianon, l'évidence du luxe et le goût de le raffiner, les amours de passage et les liaisons durables, la légèreté d'une existence cosmopolite... – il sait combien il faut d'énergie et de talent pour, étant né sans richesses et sans protecteur, refuser les limites de sa condition, l'intimidation des hiérarchies et se lancer dans le monde bien décidé à en obtenir la pleine jouissance. Or c'est, dès sa prime jeunesse et sans hésitation, le propos de Casanova. « Il n'est rien » certes, en fonction des préjugés d'une caste crispée sur les notions d'ascendance et de titre, sûre de sa supériorité innée. Mais ces préjugés, il les balaie d'un éclat de rire (il a cette formule à propos d'un affront qu'une noble Italienne lui a fait subir : « Je n'étais rien, c'était trop ! »). Confiant en son instinct de bonheur, en sa curiosité, en son sens du théâtre et de la séduction, ce décret de nullité sociale lui pèse peu, et même l'amuse. Il y voit un handicap de base qui ajoute du piquant au jeu. Et Casanova est d'abord un joueur. C'est par le jeu qu'il s'introduit dans les milieux les plus fermés, est admis dans toutes les cours. Il a pour redresser les finances de la France de Louis XV un projet de loterie, lequel sera accepté et fonctionnera jusqu'à la Révolution ! C'est aussi, on s'en doute, à cause du jeu qu'il lui arrive d'être expulsé… Cette lettre de recommandation est fragile. Le passage de la grâce à la disgrâce peut être pour un courtisan aussi rapide qu'imprévisible, la menace de défaveur et d'exil, la nécessité de « changer de climat », est encore plus proche, permanente et sans appel pour un aventurier comme Casanova, tricheur, escroc, imposteur, et de surcroît fils d'une comédienne : la belle Zanetta, actrice de la Commedia dell'Arte, qui parcourt le monde en quête d'amours et de succès. Dans la « bonne compagnie », Casanova doit taire l'existence de sa mère. Les comédiens, considérés comme des artisans du diable, des créatures immorales, sont mis au ban de la société, excommuniés. En contrepartie de cette exclusion (relative et doublée d'une aura de fascination), les comédiens et surtout les comédiennes jouissent d'une liberté exceptionnelle. Leur marginalité leur permet de vivre autrement. Tout au long de son existence errante et vagabonde, Casanova ne cesse de quitter, pour les retrouver, quelques mois ou quelques années plus tard, dans une autre ville, un autre pays, ses amantes, chanteuses, danseuses, comédiennes. C'est avec elles qu'il entretient le lien de complicité le plus sûr. Comme lui, elles sont des professionnelles du voyage, des inconditionnelles du hasard. Comme lui, elles comptent sur leur présence, leur éclat, le déclic d'un instant, pour fléchir la déesse Fortune.

Lorsque Casanova publie *Le Duel* en 1780, à Venise, il n'a pas dans l'esprit de souligner cette affinité profonde, féminine, avec une vie vécue sous le signe de l'éphémère et du brillant, et dont la réussite se mesure en termes de représentation. Ce n'est pas comme le dramaturge et metteur en scène de lui-même, comme le génial interprète de tous les rôles dans lesquels il s'invente qu'il veut apparaître. Non, *Le Duel*, histoire entre deux hommes, est d'abord conçu, en regard du gouvernement vénitien qu'il désire se concilier, comme une sorte de certificat de noblesse, une marque de respectabilité. Casanova a cinquante-cinq ans. Il a obtenu six ans plus tôt le droit de rentrer à Venise. Il est prêt à tout pour y rester. Ce récit, sous-tendu par cet art du conteur où il excellait (on croit, en particulier à certains moments dialogués entre la reine de France et le maréchal de Lowendal, ou entre « le Vénitien » et « le Postoli », le voir mimer ses personnages, exagérer leurs accents, leurs attitudes, souligner leur comique), doit convaincre les inquisiteurs d'État et l'opinion publique qu'il fut à ce point familier des puissants, compagnon de nobles seigneurs, qu'on le jugea digne de se battre en duel. Et cela avec le célèbre et redoutable comte Branicki. Casanova arbore avec superbe cette preuve par le duel. Il avoue lui-même à Branicki que cette provocation est pour lui flatteuse – beaucoup plus forte que la peur de mourir il y a chez Branicki la peur, insultante, à demi formulée, de se compromettre avec un inconnu. Et l'on sent l'ivresse de Casanova à l'espoir d'être mentionné dans les gazettes du temps, guère démocratiques, généralement fermées au noms roturiers. Pourtant – et tout autant que sa vivacité et sa force d'évocation, c'est aussi ce qui fait la beauté de cette narration – le projet autojustificatif de l'auteur, son désir d'ennoblissement, est sans cesse débordé. De multiples détails, notations, viennent nous indiquer que l'affrontement, dans un parc désert, en pleine campagne polonaise, n'est pas entre deux hommes du même monde, mais entre deux mondes. La vraie grandeur de Casanova ne se décide pas à l'issue du duel – où il ne peut être que perdant, puisque, s'il n'est pas tué, il devra quitter

Varsovie –, mais dans la façon dont il l'aborde : dans sa solitude, son dénuement, son abandon à la chance. Sa fierté, qui n'est pas celle d'un code social, mais d'un code secret, vis-à-vis de soi-même. Le geste par lequel, à la seconde où il monte dans le carrosse de Branicki, il renvoie ses deux domestiques et se livre entièrement à son adversaire, est emblématique de son courage, de son style. Il est seul, étranger, sans appui (ce n'est pas dit dans *Le Duel*, mais dans *Histoire de ma vie* il l'avoue : il n'a alors pas d'argent, vit d'expédients, est couvert de dettes). Il a en face de lui Xavier-François Branicki, Grand-Panetier, Sous-Chambellan, chevalier de l'Aigle blanc, colonel des hussards, l'homme le plus puissant de Pologne, après le Roi. Un homme qui s'avance toujours précédé de son nom et de sa renommée, de ses serviteurs et de ses soldats. Pareille dissemblance, ou inégalité, ne fait pas vaciller Casanova – que Branicki soit en réalité de petite noblesse, et sans doute moins puissant que le dépeint Casanova ne change rien à l'abîme qui les sépare. Il a terminé son courrier et fait un déjeuner exquis. Il ne ressent aucune inquiétude. Il se fie à sa devise : *Sequere Deum...* L'affaire est lancée, plus question de reculer. Le Vénitien, égaré dans cet hiver du Nord et ces mœurs médiévales et militaires, n'interroge même pas le comte sur leur destination. Dans ce trajet, rapide malgré la neige, et qui, pour lui, pourrait bien être le dernier, il est d'humeur à bavarder...

Le Duel ne lui sert pas à se fixer à Venise. Pas plus que tous les efforts auxquels il est prêt pour plaire aux autorités, comme de prendre un emploi de *Confidente* et de faire des rapports sur le libertinage de ses concitoyens, leur irreligion, leurs excès au jeu. Son insolence est plus forte que lui, et à la suite d'un libelle contre l'aristocratie vénitienne, il est à nouveau et définitivement, en 1782, interdit de séjour à Venise. Il est sauvé par l'offre du comte de Waldstein de demeurer dans son château de Dux en Bohème, comme bibliothécaire. Casanova, conscient de la nécessité de s'aménager une retraite, accepte. Le regrettera-t-il ? Il se plaint souvent de s'ennuyer et maudit son existence sédentaire. Mais il affirme aussi que ses journées lui passent à la vitesse de l'éclair, parce qu'il n'arrête pas d'écrire. Tel Marcel Proust, plongé dans *À la Recherche du temps perdu*, il n'est plus qu'une main qui écrit. Il construit le formidable monument qu'est *Histoire de ma vie*, et dont *Le Duel* représente une fulgurante ébauche – avant d'avoir décidé de se raconter en français, non dans sa langue natale mais dans la langue de son pays d'élection, évocatrice de ses années les plus heureuses. Et non plus à la troisième personne en se désignant comme « le Vénitien », mais à la première personne, dans la liberté mentale et imaginaire de l'autobiographie, dans son volume temporel. La simple énumération de lieux traversés : Dresde, Leipzig, Prague, Vienne, Cologne, Paris, Madrid, Naples, Rome, Florence,

Bologne, Ancône, Trieste... se développe en mille épisodes, en tableaux étranges, en figures inoubliables. Peut-être fallait-il à Casanova l'exil final et le fait d'être soustrait à toute autorité politique et à l'obligation d'une insertion sociale, pour s'engager de toutes ses forces sur un terrain où il est, sans conteste et à travers les siècles, vainqueur : l'écriture.

CHANTAL THOMAS*

* Chantal Thomas est écrivain et essayiste. Elle a publié, entre autres, *Casanova, un voyage libertin* (Denoël, 1985), *Sade* (Le Seuil, 1994), *La Vie réelle des petites filles* (Gallimard, 1995), *Comment supporter sa liberté* (Payot, 1998).

Repères chronologiques

1725. Naissance de Giacomo Girolamo Casanova le 2 avril à Venise.

1725-1734. L'enfant est élevé par sa grand-mère, qu'il adore.

1733. Mort du père. La mère, enceinte de son cinquième enfant, continue à l'étranger sa carrière de comédienne.

1735-1742. Pensionnat à Padoue. Stages dans des cabinets d'avocat. Le jeune homme reçoit les ordres mineurs. Doctorat de droit.

1743. Mort de sa grand-mère. Incarcération au fort Saint-André. Il rejoint en Calabre l'évêque Bernardo de Bernardis, et démissionne dès son arrivée.

1744-1749. Naples. En chemin vers Rome, amours avec Donna Lucrezia. Il se lance dans la carrière ecclésiastique, mais doit y renoncer assez vite. Séjours à Corfou, Constantinople. Tentation de carrière militaire. Retour à Venise. Pauvre et violoniste, il bénéficie de la protection du sénateur Bragadin qui, jusqu'à sa mort, lui verse une rente. Pratiques cabalistiques. Séjours à Milan, Mantoue, Césène. Casanova est amoureux d'Henriette

1750-1753. Séparation à Genève d'avec Henriette. Il découvre la France, Lyon (reçu franc-maçon), Paris. Passages à Metz, Francfort, Dresde (où vit sa mère), Prague et Vienne. Retour à Venise.

1754. Épisode à quatre entre Casanova, une jeune fille, une religieuse et l'abbé de Bernis.

Juillet 1755. Accusé de magie, de libertinage, il est mis en prison sous les Plombs. Évasion fin octobre.

1757-1759. Paris. Bernis est ministre des Affaires étrangères. Casanova crée la loterie de l'École militaire. Liaison avec Manon Balletti. Voyage en Hollande. Création à Paris d'une manufacture de la soie. Faillite. Rencontre avec la marquise d'Urfé. Visite à Jean-Jacques Rousseau.

1760-1761. Nouveau séjour à Amsterdam (Esther). Utrecht, Cologne, Bonn, Stuttgart, Zurich, Baden, Lucerne, Fribourg, Soleure, Berne, Lausanne et Genève. Visite à Voltaire. Par le sud de la France, il regagne l'Italie. Rome : il fréquente le peintre Mengs et Winckelmann. Naples : retouvailles avec Donna Lucrezia ; il fait connaissance de sa fille.

1762-1764. Bref séjour à Paris. Aix-la-Chapelle avec Mme d'Urfé, passionnée d'occultisme. Liège, Metz, Sulzbach, Genève (Hadwige, Hélène, Melle de Fernex), Lausanne et Turin (Agathe). À nouveau Genève, Chambéry, puis le nord de l'Italie. À Marseille a lieu, en compagnie de la jeune Marcoline, la cérémonie avec Mme d'Urfé, qui doit conférer à celle-ci l'immortalité, et se solde pour Casanova par un transfert de cassette.

1764-1764. Séjour désatreux à Londres. Passion suicidaire pour la Charpillon (épisode qui inspirera le récit de Pierre Louÿs *La Femme et le pantin*) : « C'est depuis ce jour que j'ai commencé de mourir. »

1764-1765. Casanova se soigne à Wesel d'une maladie vénérienne. Guéri, il se rend à Berlin, Moscou et Saint-Pétersbourg (Zaïre).

1765. Varsovie. Duel avec Branicki. Expulsion de Pologne. Dresde (visite à sa mère), Prague, Munich, Mayence et Cologne. Séjour à Spa, où un aventurier de ses amis lui confie sa jeune femme enceinte, Charlotte.

1767. Mort de Bragadin, de Charlotte. Expulsé de France sur demande de la famille d'Urfé, il se rend en Espagne. Séjour difficile, sauf pour son goût du fandango. Barcelone (Nina). Prison.

1770-1774. La Toscane, Rome, Naples, Rome. Chassé de Florence, il va à Bologne (publication de *Lana Caprina* et de *Lettre d'un lycanthrope*) puis à Ancône (Lia). Il attend à Trieste l'autorisation de rentrer à Venise, écrit *L'Histoire des troubles de la Pologne*.

1775-1783. Venise. Traduction de *L'Iliade*. Mort de Mme d'Urfé. Emploi de *Confidente*. Il rencontre Lorenzo Da Ponte. Mort de sa mère (1776). Publication de *Scrutino del libro* « *Éloges de M. de Voltaire par différents auteurs* », de *Opuscoli miscellanei* (qui contient *Le Duel*), et du *Messager de Thalie*. Expulsion à cause d'un libelle contre l'aristocratie vénitienne.

1783-1787. Errances diverses, puis séjour à Vienne où il est secrétaire de l'ambassadeur de Venise. Rencontre du comte de Waldstein. En septembre 1787, Casanova arrive à Dux, en Bohème. Bibliothécaire du comte de Waldstein, il écrit *Histoire de ma fuite*, *L'Icosameron*.

1789-1797. Il commence à écrire ses *Mémoires*, publie un travail sur les mathématiques : *Solution du problème déliaque*, et *Lettre à Leonard Snetlage à propos de son dictionnaire sur les nouvelles expressions du peuple français*. Il entretient une correspondance tendre avec une jeune fille, Cécile de Ruggendorf, qu'il ne rencontra jamais.

4 juin 1798. Mort de Casanova.

Repères bibliographiques

Œuvres de Jacques Casanova de Seingalt
- *Histoire de ma vie*, F.A. Brockhaus et Plon, 1960-1962.
- *Histoire de ma vie*, Choix et présentation de Jean-Michel Gardair, Gallimard, collection Folio, 1986.
- *Icosameron*, François Bourin, 1988.
- *Histoire de ma vie*, suivi de textes inédits, édition présentée et établie par Francis Lacassin, Robert Laffont, collection Bouquins, 1993.

Œuvres critiques en français
- ABIRACHED (Robert), *Casanova ou la dissipation*, Grasset, 1961.
- FLEM (Lydia), *Casanova ou l'exercice du bonheur*, Le Seuil, 1995.
- MARCEAU (Félicien), *Casanova ou l'anti-don Juan*, Gallimard, 1949. *Une insolente liberté, Les aventures de Casanova*, Gallimard, 1983.
- ROUSTANG (François), *Le Bal masqué de Giacomo Casanova*, Minuit, 1984.
- THOMAS (Chantal), *Casanova, Un voyage libertin*, Denoël, 1985.
- VINCENT (Jean-Didier), *Casanova, La contagion du plaisir*, Odile Jacob, 1990.
- ZWEIG (Stefan), *Trois Poètes de leur vie. Stendhal, Casanova, Tolstoï*, Belfond, 1983.

Mille et une nuits propose des chefs-d'œuvre pour le temps
d'une attente, d'un voyage, d'une insomnie…

Derniers titres parus chez le même éditeur

Pour chaque titre, le texte intégral, une postface,
la vie de l'auteur et une bibliographie.

Achevé d'imprimer en février 1998,
sur papier recyclé Ricarta-Pigna par G. Canale & C. SpA (Turin, Italie)